OHSAMA BUNKO

“幸運”と“自分”をつなぐ
スピリチュアル　セルフ・カウンセリング

江原啓之

三笠書房

プロローグ

「幸運な人生」を
自分で思い通りにプロデュースする本!

あなたは、いつも幸せを感じていますか?

ときどき人生の迷子になっていませんか?

人は、目に見える具体的な幸せに出会ったとき、自分の人生は幸せだと感じ、少し問題があるとすぐに、不幸だと感じてしまうのではないでしょうか。

人はなぜ、いつも幸せを感じていられないのでしょうか。

それは、「生きる意味」を見失っているからかもしれません。


あなたはこの人生で何をしたいのですか?

どういう人生にしたいと思っていますか?

あなたが泣いたこと、怒ったこと、笑ったこと、喜んだこと、そこにどんな意味があるのか考えたことがありますか?

人は皆、ただなんとなくこの世に生まれてきたのではありません。
皆、それぞれに生きる目的を持って生まれてきているのです。
そして、悩むこと、喜ぶことのすべてに意味があるのです。
その意味に気づいたとき、本当にゆるがない永遠の幸せに出会えます。

この本は、自分の人生の意味を理解したいと願い、そして実行するあなたのために、スピリチュアル・ワールドの高きスピリットのもとにつくられたものです。
そして、あなたのガーディアン・スピリットが、あなたと、この本をつないだのです。

この本を読んで、自らの〝たましい〟を深く内観してください。
そうすればきっと、あなた自身の人生の意味を理解することができるでしょう。
あなたの〝たましい〟の目的を見つけ出す助けとなるはずです。

この世に偶然はありません。すべて必然なのです。
決してゆるぐことのない幸せに出会ってください。

江原啓之

〝幸運〟と〝自分〟をつなぐスピリチュアル セルフ・カウンセリング／目次

part 1

スピリットが教えてくれる「あなた」の秘密

《自分を発見するヒント》

4 あなたには、どんな才能がある？

part2 スピリットと変えていく「あなたの明日」
《夢を現実に変えるヒント》

part3

迷ったとき・悩んだとき、「答え」を知る方法
《ベストな選択をするヒント》

本文イラストレーション　池田須香子

part 1

スピリットが教えてくれる「あなた」の秘密

《自分を発見するヒント》

あなたは、自分のことをどれだけ知っていますか？

本書は、「あなたは、どんな人？」という質問から始まります。

そんなことを改めて聞かれると、戸惑う人も多いかもしれませんね。

日常的に、人のことはあれこれ考えても、自分の心の奥を深くのぞき込むことは少ないでしょう。

自分は何が好きで、何が得意なのか。何が嫌いで、何が苦手なのか。夢は何なのか。どんなことに苦しんだり、つまずいたりしやすいのか。

何でもないようなことですが、そういうことをきちんとわかっていたほうが、幸せに近づきやすいのです。

本書は、各章の最初にあげていく質問に答えていきながら、あなたの〝たましい〟が知っている「あなたの人生の本当の目的」「あなたの本当の幸せな生き方」がわかる本です。

今まで意識しなかった自分自身の姿が少しずつ浮き彫りになり、やがて答えがはっきり見えてくるでしょう。

そのために必要なスピリチュアルなヒントは、質問のあとにまとめました。

誰でも、自分の本当の気持ちを見ないようにする心理が働くことがあります。それが、自分の弱点だったり、嫌な部分だったりするとなおさらです。

ですから、本書の質問に正直に答えるというのは、ときにはつらいことかもしれません。質問に答えたくないこともあるかもしれません。そんなときは無理をしないでください。何もすべての質問に答えなくてもいいのです。

けれど、時期を見て、少しずつ空白を埋めてみてください。目をそらさずに自分を見つめていった先には、必ず今日以上の明日があります。たましいが輝きはじめます。

そうやってたましいを磨くこと――それがあなたがこの世界に生まれてきた意味なのです。

1

あなたは、どんな人？

今、あなたがどういう心と体で毎日を生きているのか。まずそれを知りましょう。病院に行くと、最初に熱をはかり、どんな症状かを聞かれます。基本的なデータを知らないと、診断ができないし、処方箋《しょほうせん》も書けないからです。

あなたのたましいについても同じです。今よりずっと輝くあなたをつくる処方箋、素敵な未来を実現するためのカルテを作成するには、まず自分を知ることです。

自分の心の中を知り、なりたい自分になる
《ネラ式メディテーション》

自分を知るための第一段階として、簡単な瞑想法《めいそうほう》を紹介します。
この方法で、あなたの今の心の状態が自分で診断できるでしょう。

これには、正しい答えがあるわけではありません。また、一度やったから終わりというものでもありません。そのときの自分の心の中を知るための「瞑想法」なのです。自分が何をしたいのかわからないときや、物事が裏目裏目に出るときというのは、自分の心が本当に求めていることと実際の行動が違うときです。あるいは、自分の心をあえて見ないようにしているときも、そういうことがあります。

まずは自分の心が本当は何を求めているのか、それを知ることから始めましょう。自分の気持ちは日々進化しています。たましいの課題は、あなたの成長に合わせて変わっていくものだからです。ですから、瞑想するたびに答えは違うということもあります。

では目を閉じて、深呼吸をしましょう。

そして次のことをイメージしてください。イメージしたら、24ページに書き入れましょう。

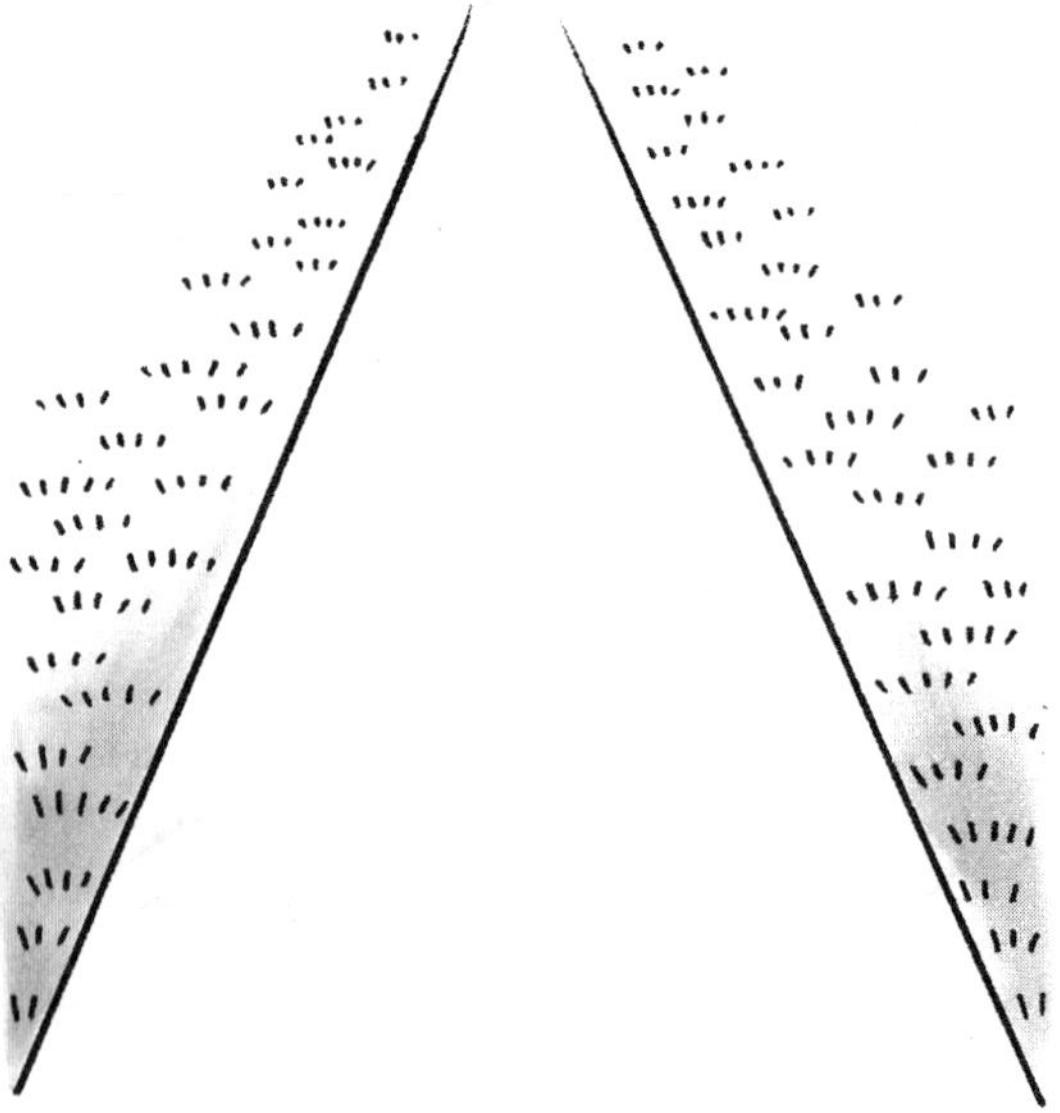

①芝生のきれいな公園を思い浮かべましょう。その公園の真ん中には、道が通っています。あなたがその道を歩いていると、広場がありました。そこに何かのモニュメントがあります。それはどんなものでしょう？

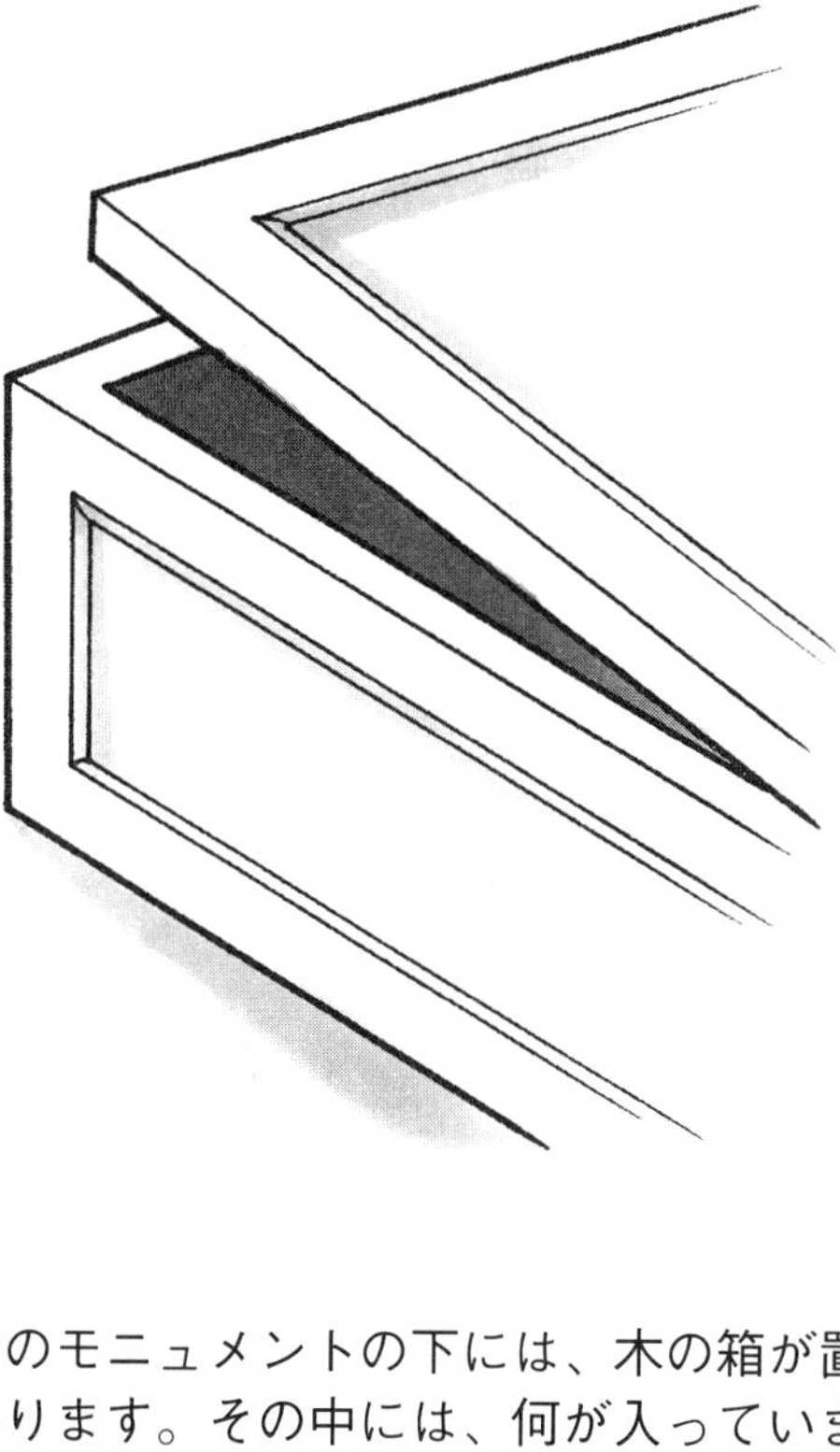

②そのモニュメントの下には、木の箱が置いてあります。その中には、何が入っていますか？　形のあるものでも、ないものでもかまいません。大きさも自由です。木の箱を開けて、中を確認してください。何が入っていますか？

③木の箱を持って、あなたは先に進みます。すると美しいバラ園がありました。さらに進んでバラのアーチをくぐり抜けると水辺に出ました。目の前にあるのは、どんな水辺ですか？ また、その大きさはどれぐらいですか？

④あなたは、その水辺の向こう側に渡りたいと思います。周囲には、いろいろなものがありますから、使えそうなものを探してきてもかまいませんし、奇想天外な方法でもかまいません。どんな方法で向こう側に渡りますか？

自分の心の中がわかる
《ネラ式メディテーション》

①

②

③

④

MEMO

《解説》

いかがでしたか。どんなイメージが浮かんできたでしょうか。

ネラ式メディテーションが教えてくれるものは、今の自分の本当の気持ちです。

どのイメージも、実は、あなたの心の中にある何かを象徴しています。それぞれが何を表わすのか、よくある答えを例にとりながら、パターン別に解説していきます。

①《モニュメント》……あなたの理想とコンプレックスがまじったもの

まず、広場の真ん中に立つモニュメント。これは、今のあなたが求めている理想の姿や、心に抱いているコンプレックスを表わしています。

モニュメントのイメージを読み解くには、その形、色、状態、素材がキーポイントになりますから、できるだけ細かく想像してください。すべてに意味があります。

たとえば、色は、白などの明るい色なら理想に対する純粋さ、黒などの暗い色なら頑固《がんこ》さを表わしています。その中間のグレーのような色なら、多少の疑念やコンプレックスがまじった理想像、ということになります。

素材は、石なら頑固さ、銅なら確固たる思い、木ならナチュラルさを表わします。モニュメントに動きがあったかどうかもポイントです。動的なものだったか、静的なものだったかで、行動力やポジティブさがわかるのです。

それでは、具体的な答えのパターンを見ていくことにしましょう。

一番多い答えは、「女神」や「ヴィーナス」の像です。

このイメージを思い描く人は、男女にかかわらず「安らぎ」を求めています。女性ならば「女性らしさ」を望んでいることもよくあります。また、理想像というよりも、単に疲れていて安らぎが欲しいときに描くイメージでもあります。

たとえばバリバリ働いている女性が、白いヴィーナス像を思い浮かべたとしましょう。その女性は潜在的に、本当は女性らしく生きたいとか、安らぎのある結婚をしたいと思っているのです。しかも、色は白ですから、その思いは純粋で、夢み心地ぎみでもあります。もしこれが銅像のヴィーナスだったら、こうあらねばならないという頑固さがまじってきます。銅は色が暗いですから、安らぎを求めつつも「いったん結婚してしまったらもうおしまい」、という警戒心も持っているようです。

二つめは、たとえばカメハメハ大王の像のような「勇者」のモニュメント。

これは、仕事でも勉強でも、自分なりの成果を出したいと思っているときに見るイメージです。

「馬にまたがった騎士」を思い浮かべたとしましょう。馬の像は、馬のような奔放さや俊敏さ、躍動感が欲しいと思っていることを表わしています。それに人間が乗っているのですから、自分自身の能力に、躍動感やスピードをプラスしたい、あるいは心強い味方が欲しい、と思っているというふうに解釈できます。

三つめは、「石」のモニュメント。

これを思い描いた人は、強靱《きょうじん》な心、どっしり構える不動心、安定感を望んでいます。石の色が白なら、それはピュアで哲学的な気持ちから出ています。また「石」は、動きたくない、現状維持でいたいという意固地《いこじ》な気持ちを表わす場合もあります。しかも色が黒だったら、頑固さの度合いが強まります。

「噴水」と答える人もいます。水は、才能を象徴しています。それが噴き出しているのですから、内側からわき上がるような才能が自分にあってほしいと望んでいることになります。噴水が白い石でできていたら、白い石が意味する夢、理想、安定感に加えて、豊かな才能を発揮したいということです。黒い石でできていたら、努力せずにそれを達成したいという横着な気持ちが隠されています。

この噴水のように、動きのあるモニュメントを思い描く人は、自分自身の才能を動かしてほしいという気持ちを持っています。やや他力本願な、奇跡を望むような気持ちでいるのです。人に頼らず、自分の力で努力することを考えましょう。

トーテムポールのような「木」のモニュメントという人もいます。

木が表わすものは、ナチュラルさです。ですからこう答えた人は、ありのままのナチュラルな存在でいたいのです。人に振り回されたくない、そっとしておいてほしいという気持ちです。これには一長一短あって、一時的にその状態にひたっているだけならいいのですが、ずっと続くのはよくありません。向上心のなさに結びつくからです。

あなたも自分の中で組みあわせて、イメージを読み解いていってください。たとえば木の女神なら、自然に女性らしくなりたい、木の勇者なら、人と争わず和合しながら、自然な形で成果を出したい、といった具合です。

②《木の箱の中にあるもの》……今のあなたに必要なもの

箱に入っていたものは、今あなたに必要なもの、足りないものです。

さっそくパターン別に見ていきましょう。

まずは、「光」。

光は、才能や崇高な力、純粋さなどの象徴。これらが足りないと感じているのです。

「鍵《かぎ》」もよくある答えです。

鍵が表わすものは、「さあ、ドアを開けましょう」「自力で突破しましょう」という気持ちです。その力が足りないと感じているわけです。

「本」が入っていたという人は、知恵や知識が必要だと感じています。努力して身につけなくてはいけないと、潜在的に思っているのです。

次に「玉（ボール）」。こう答える人は、玉のような柔軟さが欠けている自分、柔軟に動けない鈍い自分を感じています。

「ハート」という人もいます。これには、愛情を必要としている場合と、自分から愛情を与えなくてはいけないと感じている場合の二つがあります。

以上が、木の箱の中にあるものの答えの主なパターンです。ここでの意味が読み取れたら、先ほどのモニュメントの意味とつなげて考えてみましょう。

たとえばモニュメントが白い女神、木の箱の中にあったものが光という人は、女性らしくありたいと純粋に思っているけれど、それには自ら光を出さなくてはいけない、となります。モニュメントが勇者で、箱の中にあったものが鍵という人は、自分自身の成果を出したいならば、自ら扉を開ける必要があるというわけです。

③《水辺》……自分の夢を実現する妨げになるもの

バラ園を通り過ぎ、あなたは水辺に出ました。この水辺は、あなたにとっての「社会」です。自分が、社会において強くあることができるかどうかを示しているのです。

ほとんどの人が、海、湖、池、川のどれかを思い浮かべたでしょう。その種別と、規模の大きさが、読み解くポイントになります。

海と答えた人にとって、社会は途方もなく大きなもの。その大きさの前で恐れおののき、負け犬になってしまっています。自分にはとうてい無理だという気持ちを、強く持っているのです。

その点、池と答えた人は勇敢です。しかも小さな池なら、もっとも頼もしい答えといえるでしょう。なせばなるという気持ちを潜在的に持っている人です。

湖は、海と池の中間と判断してください。大きい湖であるほど、海と答えた人のように社会への恐れは大きいですし、小さい湖なら、池に近い意味合いになります。

これら三つとは別のニュアンスを持つのが、川です。川には流れがあり、その力で流されたり足をすくわれたりします。ですから川と答えた人は、渡る途中で妨害を受けるだろうとか、いじめに遭うだろうという心配をしています。恐怖心や、被害妄想《もうそう》を抱えているのです。川幅は、大きいほど社会に恐れを持っていると考えます。

以上から水辺の意味がわかったら、今までのモニュメント、プレゼントのイメージとつなげてみましょう。

女神で、ハートで、池と答えた人は、女らしく生きたいと思っていて、そのためには愛情を受けたり放ったりする必要があります。そして池ですから、内心やればできると思っています。この人の願望はやがて叶いそうです。

④《向こう側への渡り方》……夢を実現させるための手段

渡り方の意味を読み解くキーは二つあります。その難易度と手段です。

難易度は、向こう側に着くまでの時間が短かったか（簡単に渡れたか）、長かったか（渡るのが大変だったか）、いつまでたっても渡れなかったかで判断してください。

短かったという人は、自分の努力は報われるという確信を持っている人です。とてもいいことです。

反対に、なかなか渡れないという人は、恐怖心があるために、しょせんダメだとあきらめて、ネガティブになっています。

渡る手段でよくある答えは、「泳ぐ」です。全身を使って自力で泳ごうというのですから、最高にいい方法です。こういえた人は、大変な頑張《がんば》り屋《や》。しかも孤独に強い人です。きっと、その努力によって自分の思いを達成できるでしょう。

「歩く」と答える人もいます。これも自力ですから、とてもいいことです。

同じ歩くでも、水に浸《つ》かって歩くという人と、水の上を歩くという人がいます。水に浸かって歩く人は、泳ぐ人よりマイペースです。がむしゃらにならなくても、自分なりのテンポでいけばいいじゃないかと、ゆったり構えているのです。

水の上を歩くという人は、自分の努力も使いますが、そこに何かアイディアやロマンをプラスしていきたい人です。だから少し夢みがちなところがあり、泳ぐ人に比べて現実性に欠けるといえるでしょう。

「空を飛ぶ」と答えた人も、何かいい知恵はないかなと、つねに探している人です。明るく陽気な点はいいのですが、奇想天外すぎて、いわば、地（現実）に足がつかないタイプです。夢を叶えるには、現実的に物事を考える必要もあります。

一番ポピュラーな答えは「船を漕《こ》ぐ」でしょう。

船の大きさは特に関係なく、エンジンで動くのか、手漕ぎかがポイントです。手漕ぎが望ましいのはいうまでもありません。知恵を使って、自分の汗を流し、ときに休憩しながら行こうという人です。

「モーターボート」と答えた人は問題ありです。横着をして、なんとか目的に達したいという依存心が表われているからです。不平不満、グチばかりで、なかなか自分の夢を実行できないタイプでしょう。

モーターつきでなくても、渡し船やゴンドラのように、漕ぎ手がいる場合も問題です。そういう人はいつまでも親がかりだったり、そばに誰《だれ》かがついていないと嫌という「お姫様願望」が強かったりします。

「周りを歩く」、つまり向こう岸までずっと岸づたいに行くという人もいます。歩く点では努力への構えも見えますが、やはり問題があります。事なかれ主義で、嫌なこと、つらいことは避けようという意識が働いているからです。

それでうまく切り抜けられることもあるけれど、人生にはどうしても水に入らなくてはいけないような局面があります。そこでひるんでしまうために、信頼を失いやすい人ともいえます。

四つの答えから、「あなた」が見えてくる！

では最後に、全体を通してのメッセージを把握しましょう。Aさん、Bさん、Cさんの三人の例で見ていきます。

Aさんは、女神、鍵、川、渡し船と答えました。

Aさんは結婚したい（女神）のですが、それには今の自分ではダメで、自分の壁を突破しなくてはいけません（鍵）。好きな人をとられる不安（川）を持ち、誰かがいい人を連れてきてくれないかな（渡し船）と思っています。結婚したいなら、そうした怯《おび》えや依存心を、自分の鍵で突破しなくてはいけない。これがメッセージです。

Bさんは、噴水、本、大きい湖、空を飛ぶ、です。

Bさんは仕事で成功したい、才能を広げたい（噴水）と望んでいて、それには知識や知恵（本）が必要と知っています。ところが社会を恐れていて（大きい湖）、何かうまい手はないか（空を飛ぶ）と考えています。これではうまくいくはずがありません。物事がインスタントに運んでほしいと思っているのですから。願いを叶えるには、考え方を改めて、何年かかっても地道に勉強していこうという気持ちが大切です。

Cさんの答えは、勇者、白い玉、川、モーターボートでした。威厳を持ちたい（勇者）と純粋に（白い玉）願っているのですが、きっと横やりが入るだろう（川）から、誰か大きな力で自分を引っぱってくれないかな（モーターボート）と思っています。依存心が強く、有力な派閥につこうとするタイプです。

〝イメージの置き換え〟で「なりたい自分」が現実になる！

以上でネラ式メディテーションの答えをうまく読み解くことができたら、次は、自分の問題や欠点を教えてくれたシンボルを、自分の目的に合ったシンボル、自分にとって望ましいシンボルに置き換えましょう。これも、ネラ式メディテーションによって行ないます。

今の自分を知るためのメディテーションと、夢を叶えるための能動的なメディテーション。ネラ式メディテーションは二つの目的に使えるのです。

たとえばAさんの場合、鍵をハートに変えてみます。川と渡し船は、小さい池を泳ぐイメージに変えます。すると、全体のメッセージはこう変わります。結婚をしたい気持ちを叶えるには、自ら愛情を放ちましょう。それは簡単にできます、と。

Bさんや C さんも、本や白い玉を、鍵なり光なり、自分にとっていいシンボルに変えてください。後半は必ず「小さい池を泳ぐ」とします。「小さい池を泳ぐ」は、誰にとってもベストなあり方なのです。

モニュメントは自分の理想ですから変える必要はありませんが、あまりにも複雑すぎるモニュメント（馬の上のヴィーナスから水が噴き出ているなど）を思い浮かべた人は、もっとシンプルなものにしてください。シンプルなほど、念力が強まり、願望も叶えやすくなりますから、ここは思いきって的を絞りましょう。

本書では、よくある答えを例にとって解説してきましたが、実際にはほかにもさまざまな答えがあるでしょう。あとはあなたの感性しだいです。上手にふくらませていって、次頁に書き込んでおいてください。

ネラ式メディテーションは、イメージで行ない、イメージで読み解きますから、感性が必要です。といっても構える必要はありません。なぜなら、すべては自分の中から出てくる潜在的なものだからです。

なりたい自分になる
《ネラ式メディテーション》

①あなたが理想とするものは……？

②そのためには何が必要ですか？

③もし妨げになるものがあるとしたら……？

④実際にどうすればいいのでしょう？

あなたの〝オーラ〟で、性格や健康状態がわかる！

オーラとは、人が放つ目に見えにくい光のようなものです。

「オーラが強い」といわれる人がいますが、オーラは特別な人だけにあるのではありません。すべての人にオーラはあります。ただ、人によって、その色や強弱に違いがあるということです。

同じ人でも、オーラの色や強弱は一定ではなく、変化しています。たとえば、何か大きな出来事があって人生が変わったとき、あるいは心身のあり方が変わったとき、オーラも変わります。

自分のオーラが何色なのか。その強さはどれぐらいなのかを自分で判断できれば、それは自分の性格や、今置かれている状況を知るヒントの一つになるでしょう。

オーラは訓練しだいで誰にでも見えるようになります。

まず部屋を少し暗くしてください。次に、黒いものの上に両手をかざします。着ているスカートやパンツが黒なら、その上でもいいでしょう。そして肘《ひじ》を開き、両手を水平にして指先を近づけます。

その指先をつけたり離したりしてください。すると、残像が残るようになります。それを凝視すると、しだいに色が見えてきます。

非常に感覚的なものですから、たとえば「赤」というより「なんだか赤っぽい」という印象になるでしょう。

今度は、両方の手の平を合わせたり離したりしてみてください。やはりその残像に色がついて見えてきます。人間の手、特に指先には、オーラが強く現われるのです。

それが見えるようになったら、鏡の前に立ってください。

すると今度は、自分の頭の上にオーラが出ているのが見えるようになります。仏像の後ろにある光背《こうはい》、後光《ごこう》のようなものです。これは、人によって大きさも色も違います。

指先に現われるのは、肉体を表わすオーラで、頭の上に出てくるのは、精神を表わすオーラです。指先で見る訓練をすると、頭の上のオーラも見ることができるようになります。

指先に出てくる肉体のオーラを診断するのは、比較的簡単です。

暖色系、たとえばオレンジや赤であれば、今、体は健康な状態にあり、反対に、寒色系であれば、少し体調を崩しているということです。普通の健康状態、よくも悪くもないというときは、緑や黄緑色になります。

ただし、同じ赤でも、あざやかな赤とくすんだ赤があります。くすんでいる場合は、オーバーヒートしていたり、炎症を起こしている場合があるので、気をつけましょう。

赤だけでなく、どんな色の場合も、くすんでいるときは要注意です。

オーラを見慣れてくると、具合の悪い個所がわかることもあります。ケガしていたりすると、そこだけくすんだ色になるからです。腹痛の場合も、お腹《なか》のあたりからくすんだ色のオーラが出てきます。

一方、頭から出てくる精神を表わすオーラは、色によって意味合いがさまざまに変わってきます。メインの色は二色ぐらいです。それは変わりませんが、怒ったときには、赤が強く出たり、悲しいときは暗く沈んだ色が出たりします。

どの色も一長一短です。自分のオーラがわかれば、今まで気づかなかった自分の性格を振り返ることができるでしょう。そうすれば、長所を伸ばしたり、短所を補うことが意識的にできるようになります。

どうしても自分でオーラが見えない場合は、拙著『スピリチュアル生活12カ月』（三笠書房「王様文庫」）の中にチャートを設けてあります。また、その本の中に各オーラカラーによる性格診断もありますので参考にしてください。

2

あなたの〝たましい〟が求めている本当の生き方は？

①あなたの家族構成は？

②家族の中で、一番好きな人は誰ですか？　その理由は何ですか？

③家族の中に嫌いな人はいますか？　その理由は何ですか？

④嫌いになるきっかけになった出来事はありますか？
いつ、どんなことがありましたか？

⑤家族旅行に行ったことがありますか？　いつ、どこへ？　印象に残ったことは？

⑥あなたのことで、両親が泣いたことがありますか？　いつ、どんなことで？

⑦家族からもらったもので、一番うれしかったものは何ですか？

⑧家族に感謝を伝えたことがありますか？　いつ、どんな言葉で？

⑨あなたは、なぜこの家族の中に生まれてきたのだと思いますか？

⑩家族を通して見えてくる、あなたの課題は何だと思いますか？

家族に対してどんな思いを抱いていますか？
そこにあなたの〝たましい〟の課題が見えてきます

質問に答えるうちに、あなたの家族、一人ひとりの顔が目に浮かんできたでしょう。自分自身を知るためには、自分の家族を深く知ることも必要です。それが、家族といい関係を築いていくことにもつながるのです。

家族との思い出は、いいことばかりではないでしょう。激しく喧嘩をしたり、怒られたり、「どうしてこんな家庭に生まれてしまったのだろう」と思ったこともあるのではないでしょうか。

ここで考えてほしいのは、「家族とは何か」ということです。

なぜ「家族」がいるのか。土の中からポコンと生まれてもいいのに、なぜ母がいて、父がいて、きょうだいがいる中に、私たちは生まれてくるのか。

スピリチュアリズムでは、現世の家族は「仮想家族」であると考えます。

つまり、別々のたましいが、それぞれ違う個性と課題を持って、現世に生まれてき

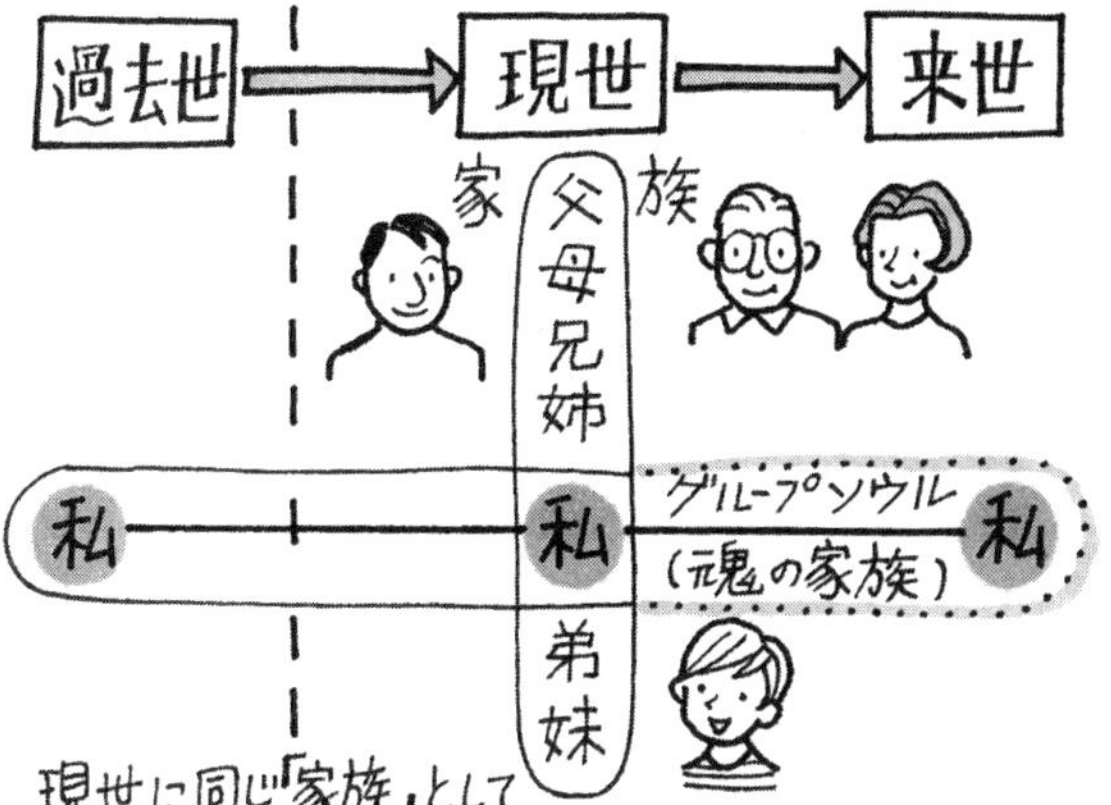

現世に同じ「家族」として
生まれても、それぞれのグループソウル（魂の家族）は違います

ているのです。

課題とは、たとえば「平和を学ぶ」ことかもしれないし、「強い生き方を学ぶ」ことかもしれません。自分のたましいを、より高く、美しく輝かせるために必要なカリキュラムが組まれているのです。

誰もが、自分の課題を胸に、よりよいたましいになりたいと願って、現世に生まれてくるのです。

同じ課題を持つ人の集まりが、本当の「たましいの家族」＝グループ・ソウルです。これは現実の家族とは異なります（上の図参照）。

あなたの両親、きょうだい、それぞれが別のグループ・ソウルから来た人々

(同じ場合もあります)です。

グループ・ソウルを国だとすると、現世では別の国から来た人たちが、一つのアパート(家族)に住んでいるようなものです。あなたの両親はあなたより先にこの世に生まれ、あなたを産むことであなたがこの世に来ることに協力してくれた、すばらしい人たちです。

お母さんは、あなたのためにお腹を痛め、お父さんは、そんなお母さんを物心両面で支えてくれた。きょうだいは、この世に生まれ来るあなたを歓迎した。そんな人々が、あなたの「家族」なのです。

「血のつながり」とは、そういうことです。あなたの命の「協力者」なのです。

ただし、たましいの家族とは違いますから、成長するにつれて、お互いにわかりあえないところも出てきます。不満も出てきます。

けれど、あなたは自分でその家族を選んで生まれてきました。そこには、あなたのたましいにとって必要な人たちが、「家族」としてキャスティングされています。神様は名プロデューサーであり、最高のスーパーコンピュータです。一分の狂いもなく、必要な人材をあなたの周囲に配置してくださっています。

そういう目でもう一度、あなたの家族を見直してみてください。

なぜ、その家族を選んだのか、その理由を考えてみましょう。

たとえば、お姉さんに対して「見栄っぱりで、私のことをいじめては喜んでる」と思うなら、自分も友だちに対して同じように振る舞っていないか、素直な心でチェックしてください。同じようなところがあるとすれば、お姉さんは、あなたの中にもある弱点を目に見せてくれて、学ばせてくれているのです。

質問の中にある「家族を嫌いになった出来事」を思い出して書いた人は、そのとき、何を学ぶためにそういう出来事が起こったのか、どうしてその人があなたの家族にキャスティングされたのか、一度じっくりと考えてみましょう。

それがわかったとき、あなたは別の目で家族をとらえ直すことができるはずです。そして、自分が生まれてきた意味、自分の本当の課題も、少しずつ見えてくるようになるでしょう。

それが、新しいあなたへの第一歩です。

絶妙のキャスティング
——家族から学ぶべきことを知る方法

家族は互いにどうやって学びあうのでしょうか。

現実の家族は「仮想家族」ですから、それぞれのたましいの課題は違います。けれど、まったく違うわけではありません。

たとえば、ある家族の中で、長男が非行に走ったとしましょう。

その家の父親は、オーラカラーが赤で、情熱家で、つい突っ走ってしまうタイプ。母親は、オーラカラーがオレンジで、なんとなく人の意見に染まりやすいタイプ。長女は青で、客観的で冷めているタイプだとします。

では、父親がこの長男を持った意味を考えてみましょう。

頭に血がのぼりやすくて、家族に揉《も》め事が起こると、暴力で解決しようとしてしまう自分。その性格を克服することが課題だから、あえて、問題を起こす息子が生まれてくれたのかもしれません。冷静に相手の話を聞くこと、じっくりと相手の身になって判断すること、そういったことを学ぶ必要があるのです。

母親も、息子の問題を考えるとき、人の意見ではなく、自分の目で判断する練習をさせられるでしょう。長女は、情というものを持って家族を見守ることを学ばされているのかもしれません。

「息子の非行問題」など家族に生じる問題は、たとえていえば、ジャガイモ、タマネギ、牛肉といった材料です。その材料で、父親はカレーをつくり、母親はシチューをつくり、娘はポトフをつくる。でき上がった料理は違うけれど、皆同じ材料から何かを学ぶのです。

互いに学びやすいメンバーがキャスティングされているのが家族です。

同じ材料から学ぶべき課題を持つ人々だから、性格や顔形が似ていることもあります。また、波長の法則（265ページ参照）がここにも作用するので、似たたましいが呼びあいます。だから「おばあちゃんにそっくりね」などということもあるのです。単純に、血がつながっているから似るのではありません。

家族とは、互いに学びあうために、今、ここに集った人々。そう思ってみると、新しい発見が、どのメンバーにもあるはずです。

あなたは「感動」するために生まれてきました その意味に早く気がついてください

なぜ、最初から「現世の家族はかりそめですよ。たましいの家族は別にいますよ」ということをわからせてくれないのでしょう。

それは、私たちは「感動」するために現世に生まれてきたからです。

確かに自分の前世や課題を覚えているほうが何かと便利です。でも、それがわかっていては本当の「学び」になりません。最初からわかっていると、私たちの心に「感動」が生まれないからです。

「感動」というと、何かいいことで心が動くことのように錯覚しがちですが、いいことも悪いことも含めて、心が激しく揺れ動くことが「感動」です。人に愛されるだけでなく、なじられたり、恨まれたりすることでも、「感動」は生じます。そこに学びがあり、たましいの成長があるのです。

あらかじめ、すべてがわかっていると、「感動」が生まれません。人生の台本ができていたら、皆、大根役者のように棒読みしてしまうでしょう。

すべてが偶然のように目の前に現われます。だから、驚いたり、深く悲しんだり、大きな喜びに身をゆだねたりできるのです。

でも、実際にはこの世に偶然はありません。すべて、必要な出来事、必要な人々が、あなたの目の前に現われているのです。

家族もそうです。最初からそうわかっていると、他人行儀で妙な関係になってしまうでしょう。おぎゃあと生まれて、母親にお乳をもらうのにも、「恐れ入ります」と頭を下げないといけなくなります。大切な「情を学ぶ」という経験ができなくなるのです。

新しくこの現世の「家族」の一員となって感動するために、私たちはすべてを忘れて生まれてきます。

けれど、ある程度、成長したら、もう気がつかなければいけません。

現世の「家族」は、かりそめのものであること、強固で絶対的な結びつきのものではないということに気づくことが必要なのです。

家族はあなたに何かしてくれて当然、という立場の人々ではありません。にもかかわらず、両親はあなたのおしめを替え、ご飯を食べさせてくれました。旅行に連れていってくれたこともあるでしょう。質問に答える中で、たくさん思い出せたのではないでしょうか。

たとえ、「家族にいい思い出なんてない」という人でも、今、あなたが生きている、その陰には、必ず家族の協力があったはずです。どんなに嫌だと思っていたとしても、何かしら学びながら大きくなってきたはずです。

目を閉じて、もう一度、思い出してみてください。

あなたをこの世に送り出すことに協力してくれた人の顔を。

家族の一員として迎え、さまざまなことを教えてくれた人たちの顔を。

それが、あなたの家族なのです。

思い出せたら、今の自分の心の中を静かに見つめてみましょう。

「ありがとう」という感謝の思いが自然に生まれていくのではないでしょうか。

生まれてきた意味を知ることは、家族と〝いい関係〟を築く一番いい方法です

家族はそれぞれ、違う課題を持って生まれてきた他人です。

けれど、課題を背負って、同じ学校に入ったという意味では仲間です。

親だと思うと、自分をわかってくれないこと、自分に何かしてくれないことに腹が立ちます。けれど、同じように課題を背負い、同じように苦しみながら、たましいを磨いている「仲間」だと思えばどうでしょう。

仲間は他人同士ですから、わかりあうためにお互い努力が必要です。両親や兄姉は、先に生まれた人だから、仲間というより先輩です。両親のいうことを「先輩のいうことだ」と思えば、受け取り方も変わるはずです。

家族を受け入れられないという人もいますが、それは家族に「依存」しているのです。

お弁当をつくってくれて当然、朝、起こしてくれて当然、失礼なことをいっても許

してくれて当然、だって家族だから。

そんな「甘え」があるのです。

くり返しますが、家族とはそういう存在ではありません。

学校生活がそうであるように、家族も誰かが誰かに寄りかかっていては成り立ちません。互いに助けるべきところは助けて、お互いを認めあい、尊重しあい、共存していくものなのです。

街で「親なんだから、服ぐらい買ってよ」などと若い人がいうのを耳にすることがありますが、〝先輩〟にそんな口をきく人がいるでしょうか？　自分が生まれてきた意味がまったくわかっていないんだなあと、悲しくなります。

洋服を買ってくれてありがとう。洗濯してくれてありがとう。料理をつくってくれてありがとう。そういう感謝の言葉は絶対に必要です。

家族だからこそ、礼儀が大切なのです。

実際の学校を思い出してください。最初は知らない者同士で、話もできなかったけれど、同じ授業を受け、同じような体験をする中で、相手を気遣ったり励ましあったりして、卒業のときには、よりわかりあえる、離れがたい集団に成長していきます。

それに伴って、自分自身も成長してきたはずです。

家族もそれと同じです。違うのは、家族は三年や四年では卒業できないということ。それぞれ死を迎えるときが卒業式なのです。そのとき、どんな自分になって卒業していけるか。家族から何を学んで卒業するのか。

愛を学ぶ人。

許しを学ぶ人。

家族に傷つき、家族を傷つけながら、それでも家族の意味を深く考えた人。

家族に依存することをやめて、自分が何を学ぶべきなのか、その課題ときちんと向きあった人。

そんな人が、最高の学びをして、最高に輝きながら卒業式を迎えられるのだと思います。

ここであげた質問項目が、そのきっかけの一つとなるように、今までの家族の出来事について、また、あなたが家族に対して日常とっている行動について、できるだけ深く考えてみてください。

結婚してでき上がった「家族」そこは、新しい学びとチャレンジの場です

一般的には、女性は結婚すると相手の籍《せき》に入ります。新しく家族として迎え入れられるわけです。

スピリチュアルな立場からいうと、嫁ぎ先の家族は、本来の「家族」により近い家族です。つまり、本当は血のつながらない他人だけれど、「家族」として一つの集団になった人たちです。血のつながった家族も、本来そういう感覚で見るべきなのです。

男性の場合、婿養子に入らない限り、この感覚がわかりません。その意味で、女性は、家族の本来の意味を理解して、たましいをステップアップできるチャンスに恵まれているといっていいでしょう。

結婚して、別の家族の一員になるということは、今までの学校を卒業して、大学院に進むようなもの。あるいは留学するようなものです。男性の場合は、交換留学生として、お嫁さんを迎え入れる立場になるわけです。

嫁ぎ先では、血のつながりがない他人同士なので甘えられません。けれど家族です。互いに協力しないといけない関係です。最初はなかなかうまくいかないでしょう。けれど、そこにまた新たな学びがあるのです。

世の中に嫁と姑《しゅうとめ》の争いが絶えないのは、自分が生まれた「家族」と同じ感覚で相手を見てしまうからです。つまり、相手に何かをしてもらうことばかりを考え、相手に依存しているからです。

お姑さんには「娘になったくせに、なぜもっと私のいうことを聞かないの」という気持ちがあるし、お嫁さんは「実家のお母さんは、私をもっと大事にしてくれた」という気持ちが出てきてしまう。すると、うまくいかなくなってきます。

お姑さんに悩んでいる人、お嫁さんに悩んでいる人は、「家族になったんだから」といって、相手に多くを望みすぎてはいないか、感謝を忘れてはいないか、振り返ってみてください。結婚によって新しくできた家族、そのメンバーを選んだのも、あなた自身です。あなたに必要な人たちが、あなたの周囲に集まっているのです。

実家で学んだことを生かせるかどうか、新しい、より高度な学びができるかどうか、新しいチャレンジが始まったのです。

親子関係はギブ・アンド・テイク
それがわかれば、答えはおのずと見えてきます

親はあなたがこの世に生まれるために、協力してくれた感謝すべき人です。

逆に、親も子どもの存在によって大きなプレゼントをもらっています。

妊娠がわかったときの喜び、妊娠中の苦労、その中で知る家族や人の温かさ、出産の感動。このすべてを経験できるのです。それは貴重な体験です。また、子育ての中でも、さまざま感動が待っています。苦しいことも、つらいこともありますが、そのすべてが自分のたましいを輝かせてくれる、宝物のような体験です。

その意味では、親と子は、ギブ・アンド・テイク。

ただし、子どもが十二歳になるまでは、親は子どもにたっぷりと愛情をかけて、愛のすばらしさを教えたり、きちんとしつけをして世の中に出ても困らないようにする責任があります。

けれど、十二～十五歳を過ぎてからも、それまでと同じ意識でいてはいけません。

子どもには自我が芽生えます。自分の道を自分で歩きはじめなければいけない時期がきているのです。ですから、与えておきたいこと、教えておきたいことがあるなら、十二歳までにして、あとは子ども自身に選択させるということが大切です。

成長した子どもにあれこれ世話をやいて、それを愛情だと勘違いしている人がいますが、それは愛情ではなく「執着」です。

子どもも、いつまでも親に依存して、自分の進路や結婚相手まで、何もかも決めてもらう場合があります。そうすると、いつまでたっても大人になれない、自立できない人間になってしまうでしょう。

親の意見を軽視したほうがいいといっているのではありません。両親は「先輩」、OBでありOGです。その言葉には素直に耳を傾けましょう。けれど、決定するのはあなたです。両親は先輩以上の存在ではありません。

親は、子どもが十二歳になるまでに必要なことは伝えておくこと。あとは、愛を持って見守ること。子どもは、その信頼に応《こた》えて、自分の力で歩いていくこと。

そういう姿勢が、親子ともに必要なのです。

現世の家族はかりそめのもの。前世から永遠に続くあなたのグループ・ソウルとは別の集団です。いつかは別れがくるのです。

このセオリーがわかっていれば、家族の中で生じるさまざまな問題の答えが、おのずと見えてきます。

今まであなたが悩んでいた「家族」の問題を、この考え方でもう一度見直してみてください。あなたの心の中に、家族への依存心がなかったか、チェックしてみましょう。そして、あなたがなぜこの家族に生まれてきたのか、あなたの課題を考えて書き出してみてください。

それがわかったとき、自分自身の本当の姿が、以前よりはっきりしてきます。その課題を克服するために、どう行動すればいいのか、道はもう見えているはずです。

3 あなたは、どんな人に惹かれやすい？

①子どもの頃から現在まで、仲のよかった人は誰ですか？　どこが好きでしたか？

②嫌いな人はいましたか？　どこが嫌いでしたか？　今はどう思っていますか？

③現在、仲のいい人は誰ですか？　その人のどこが好きですか？

④今までの友人と共通点はありますか？　違うところはどこですか？

⑤今、尊敬する人はいますか？　どこが尊敬できるのですか？

⑥あなたは時間を守るほうですか？

⑦「ここだけの話だけど」ということが多いですか？

⑧親しい人を「うらやましい」と思ったことがありますか？

⑨親しい誰かと死に別れたことがありますか？

⑩死にたいくらい悲しい経験をしたことがありますか？

周囲の人間関係は、自分を映し出す鏡です

今まであなたは、どんな友人とつきあってきましたか？

ここにあげた質問に答えていくと、子どもの頃からの友人と現在の友人とでは、人間関係がそのときどきによって変わってきていることに気づくでしょう。

すべては、あなたが出した波長によって呼びよせられた人々です。

スピリチュアリズムの法則の一つに、「波長の法則」、つまり「類は友を呼ぶ」という法則があります。自分の出す波長（心のエネルギー）と同じものが、周囲に引きよせられてくるのです。

ですから、友人を見ると、自分自身がわかるのです。

過去、あなたの周囲にいた友人から、あなたのそのときの波長を思い出してください。たとえば、いつもイライラして悩んでいたときは、同じように怒りっぽい友人がそばにいませんでしたか？　気持ちが穏やかで、前向きに頑張っていたときは、明る

く愉快な友人がいたでしょう。友人のことと、そのときの自分をあわせて思い起こせば、必ず思い当たることがあるはずです。

今までいい友だちがいなかった、嫌いな人ばかりで、いじめられてばかりだった。そういう人は、周囲の友人を責めたり、自分のツキのなさを恨んだりしたくなるでしょう。けれどその前に、自分の波長はどうだったかを少し考えてみてください。

自分自身がネガティブな考えの虜《とりこ》になっていたり、人のいいところを見つけられなかったりすると、周囲に集まってくる人も、暗かったり、意地悪だったりします。

反対に、自分がポジティブな高い波長を出していると、周囲には、親切でやさしい人、明るく励ましてくれる人が現われるのです。

ただし、自分の波長が悪いと、周囲に悪い人ばかりが集まり、波長がいいと、いい人ばかり集まるかというと、そうではありません。

人の波長には幅があります。高くていい波長を出す部分と、底辺でどんよりと低い波長を出す部分と両方あるのです。相手によって、出す波長が変わることもあります。時間や場所によっても変わることがあるでしょう。

自分では、自分がどんな波長を出しているのか、意外とわかりづらいものです。けれど、自分の周囲にいる人々を見れば、それがわかります。

今、あなたの周囲にはどんな人が集まっていますか？

それもすべて、あなたの波長が呼びよせた人々です。その人たちを見ると、今のあなたの状態、性質、たましいのレベルがわかります。そういう目で、一度、周囲を見つめ直してみてください。

もし、昔の友だちのほうがよかったと思うなら、そのときの自分の波長を思い出して、今の波長を変える努力をしてみましょう。今の友だちが最高だと思うなら、あなたは少しずつ成長してきたのです。

あなたの周囲の人間関係は、あなた自身を映し出す鏡です。自分を知るため、そして自分をより輝かせるために、じっくりとその鏡を見つめてください。

偶然目にした出来事にも
あなたの「心」は映し出されています

「波長の法則」とならんで、大切な法則が「カルマの法則」です。簡単にいうと、「自分がしたことは、必ず自分に返ってくる」「自分でまいた種子は、自分で刈り取らなければいけない」ということです。

たとえば、駐車場で車を降りたとき、「早くしろよ！」などと、見知らぬ人にどなられたとします。とても腹が立つでしょう。けれど、自分はどうだったか、振り返ってみると、来る道すがら、ほかの車に「下手くそね！」などと毒づきながら運転していたりするのです。相手には聞こえなくても、車の中でほかの人にあたりちらしていた。それと同じことが駐車場で自分に返ってきたのです。これがカルマの法則です。

この法則は、自分の身近で見聞きし、体験することだけでなく、広く社会事象にもあてはまります。今、なぜこの事件が起こり、話題になるのか。そして、自分の心に響いてくるのか。すべて偶然ではなく、意味があるのです。

たとえば、まだ記憶に新しいニューヨークで起こったテロ事件。その後、アメリカがアフガニスタンを攻撃して、戦争状態になりました。

ここで私たちが考えなくてはいけないのは、自分たちの中にあるアフガニスタンであり、アメリカです。テロや空爆の様子をテレビで見て、恐怖を感じたり、心を痛めたりする。けれど、自分の内なるアフガニスタン、自分の内なるアメリカには気づいていない。そういうことが多いのです。

戦争やテロとは規模が違いますが、私たちの周辺でも、同じことは起こっています。思想や考え方の違う人を、力ずくで黙らせる。思い通りにならないときは、陰から人の足を引っぱってみる。そんなことが、日常茶飯に行なわれていないでしょうか。

私たちは、社会で起こる事件を見るとき、「他人事」として見てしまいがちです。けれど、その事件が目にふれる、ということは、私たち自身の中にも同じことがある、私たちも同じことをしている、ということなのです。

たとえば家の中で気に入らないことがあると、壁を叩いたり、ものを投げたりする。これは立派なテロです。

殺人事件などのニュースを見たとき、「怖い」と思うでしょう。けれど、このニュースが目に入ったことにも意味があるのです。自分には殺したいほど人を憎んだことはないかと、冷静に振り返ってみることです。銀行強盗のニュースを見たら、自分の中にも「簡単にお金が手に入ればいい」という気持ちがないか、振り返ってみましょう。

大きな事件でなくても、たとえば街で人が喧嘩をしているのを見たら、「自分もこういう無様なことはやめなさいというメッセージだ」と気づいてください。電車の中で酔っ払いにからまれたら、自分も友だちに対して、言いがかりをつけたり、からんだりしていないかどうか、考えてみる必要があるのです。

自分の周囲に起こる出来事は、実は自分自身の心の中が映写機で映し出されているのです。友だちと喧嘩したり、別れたりすることになったとき、自分でもその理由がわからない場合があるでしょう。けれどそこには、あなたの思いや、あなたが築いている人間関係の問題点が、はっきりと映し出されているのです。

それがわかれば、人とのつきあい方が変わってきます。周囲の人々といい関係を築くことも、できるようになってくるのです。

気づいてますか？
友人の〝態度〟にはあなたの長所も短所も表われています

波長の法則と、カルマの法則を理解していれば、周囲の人間関係や出来事から、自分自身の心の状態を知ることができます。

そのとき、もう一つ注意したいのは、周囲が自分の心をそのまま映し出す場合と、逆のことを映し出す場合があるということです。「真映し出し」と、「裏映し出し」があることを知っておいてください。

その例のいくつかを紹介しましょう。

「私の周囲には、いつも意地悪な人がやってくる」と思う場合、自分自身も、同じことを人にしていたり、人から見れば自分も「意地悪な人」だったりします。これは、「真映し出し」を見せられているということです。

一方、「私は人に意地悪をしているつもりはないのに、周囲に意地悪な人が多い」という場合、これは、自分の中に、その意地悪に対して立ち向かうだけの力がない、ということの映し出しなのです。これが、「裏映し出し」です。

意地悪なことをいわれても、黙って聞き流してしまい、あとで悶々《もんもん》と悔しい思いをする。そういう場合、その事なかれ主義の克服がたましいの課題なのかもしれません。それを知らせるために、意地悪な人が、わざと周囲に配置されることがあるのです。

自分の目の前の現象が、自分の心の真映し出し（自分の中にも同じ要素がある）なのか、それとも裏映し出し（自分の中に、それと対抗できない弱い部分があったり、自分に足りない部分である）なのかを、よく見極めることが大切です。

たとえば口やかましい友だちがいるとします。そのとき、自分も人に対して批判的で口うるさいという場合と、自分が批判されやすい、何かいわれてもいい返せない場合があるということです。もちろん、パターンはいくつもあって、ケース・バイ・ケースなので、自分でよく考えてみてください。

自慢ばかりする友だちが嫌で仕方がない、という場合は、友だちの自慢話が嫌で仕方がないのは、自分も自慢屋であるときか、逆に自分自身が表現できずに押さえ込んでいるときです。自己表現が下手すぎるとき嫌悪感があるのは、自分にはない要素を、友だちによって見せられている裏映し出しなのです。

大好きな友だちがいて、相手も自分のことを好きでいてくれる、という場合も同じです。自分の中に相手と同じ要素がある。これは真映し出し。そうではなく、相手にはない部分を持っている自分がいて、それは人に好かれるだけの魅力的な部分である、というのが裏映し出しです。

このポイントがわかれば、自分に自信が持てるようになります。自分の長所や魅力がはっきりするからです。

くり返しますが、友だちは自分自身を映す鏡です。鏡を見ることで、自分を分析すれば、自分自身についての理解が深まります。そうすれば、今までの人間関係も、これから出会う人との関係も、必ず好転します。

どんな場合でも、自分を知り、自分を変えなければ、状況は変わりません。逆にいうと、自分を変えれば、どんな困難な状況も好転していくのです。そのためには、まず自分を知ること。自分自身に気づくことが大切なのです。気づかなければ、変えることはできません。

友人との仲がギクシャクしがちな人、長続きしない人への処方箋

友だちと喧嘩することが多い人、喧嘩別れしてきた友だちが多い人の課題はどういうものでしょうか。

今までの喧嘩の内容と理由を思い出してみると、その課題が見えてきます。

たとえば、自己主張が強くて、人と張りあってばかりいることが原因だったとわかると、人との協調性を学ぶ、ということが課題なのかもしれないと気づくでしょう。

そこに気づくと、変わってきます。以前なら強く自己主張していた場面でも、一歩引いて、友だちのいうことに耳を貸そうかという気持ちになれるのです。

あるいは、気分にムラがあったり、優柔不断なところが原因で喧嘩になることが多かった、という場合、そのムラッ気や優柔不断を克服していくことが課題なのです。

最初はすごく仲がいいけれど、その後長続きしない人の場合は、自分の心の中に打算がなかったかどうか、チェックしてみてください。相手が好きだからつきあってい

たのではなく、自分に都合がいいから、あるいは体裁がよかったりメリットがあるからつきあっていた。そういう計算がある場合、人との関係は長続きしません。

そんな自分の打算に気がついたら、もう一歩踏み込んで、なぜ自分は打算でしか人とつきあえないのか、考えてみましょう。もしかすると、人を信じられない弱い自分がいるかもしれません。自力では生きていけないから、人を利用しているのかもしれません。そういう人は、その弱さを克服することが課題なのです。

ここにあげた質問項目で、そんな自分に気づいたら、たましいの成長の第一歩を踏み出したということです。ただし、その気づきが本物かどうかチェックしてみてください。

たとえば、「私は、人に迷惑をかけても平気だったこともある」と気づいたあとに入ったトイレで、スリッパを脱ぎっぱなしで出てくるようなことをしていませんか？

本当に気づいて理解できたら、あとから来る人のためにスリッパをそろえるはずです。そういう日常の小さな行動が変わってくるのです。理解するというのは、感動するということ。心が動くということ。本当に理解し、心が動けば、行動も変わります。

すると、周囲の人間関係もいい方向に変わってくるのです。

「つらい体験」は あなたのたましいを輝かせる〝磨き石〟です

別れの経験は苦しいものです。

でも、「別れの傷」という言葉はよくないと思います。

「傷ついた」のではなく、たましいが「削られた」と思ってください。

傷ついたというと、何か被害を受けたように聞こえます。傷つけられると困るし、傷ついたら「早く治さなくてはいけない」という気にもなるでしょう。

けれど、傷つくことと「たましいに傷がつく」ということとはまったく違います。

別れて傷ついたということは、正確にいえば、「たましいが研磨《けんま》された」のです。

宝石の原石を思い浮かべてください。傷をつけないと、磨くことはできません。傷がないと、丸くなることも、輝くこともできないのです。

人のたましいも同じです。傷をつけないと成長しないし、輝けないのです。

「ああ、あの人と別れて磨かれたわ」という言葉が流行になるといいと思います。そうすれば、傷つくことを恐れる人が減るかもしれません。

削られたほうが勉強になります。削ってくれた人には感謝をしてもいいぐらいです。ときには深く削られることもあるでしょう。そのときは痛くて苦しい思いをします。その削られたあとを消して、きれいな丸い石になるには、周囲の原石をさらに削って、磨かなければいけません。努力が必要です。

でも、だからこそ、原石の奥に隠れていた光にまで到達できます。深く傷ついた人は、それだけ強く輝ける人になれます。人格がアップするのです。ですから、深い傷を恐れないでください。

浅い傷だけつけて適当に磨いている人は、適当にしか光れません。深い傷こそ大切なのです。深く傷ついた、深く削られた、そのときがチャンスです。たましいを強く美しく輝かせる人になれるチャンスです。

今まで、自分が傷ついた経験を思い出してみてください。そのチャンスを生かしてきたでしょうか。深く削られた自分のたましいを見つめ、磨きをかけてきたでしょうか。傷の中にうずくまっていると、恨みや憎しみが増殖し、原石は光を失います。別れはあなたのたましいの研磨剤です。削られるから、明日のあなたが輝くのです。

友だちが少ないあなたへ そこには、こんな意味があるのです

自分には心から信頼できる友だちなんて、今まで一人もいなかった。そんな人も、なかにはいるかもしれません。「友だちなんか、いなくてもかまわない」と思って、表面的なつきあいだけでお茶を濁《にご》している人もいるでしょう。

友だちがいないということは、自分の心の中の「無」を映し出しているといえます。空っぽで寂しい思いを抱えている自分がいないかどうか、素直な気持ちで心の中をのぞいてみましょう。

また、友だちがいないということは、自分が人に近づいていない、ということを表わしてもいます。近づいてくる人を拒絶してしまう何かが、自分の中にある場合もあるでしょう。傷つきたくないという気持ちや臆病《おくびょう》さがバリアをつくっているのです。

友人がいなくて寂しい気持ちがあるなら、自分にうそをつかずに、積極的に外に出ていくべきです。人と関わるべきです。

たとえば、街で転んだとしましょう。そのときスピリチュアルな見地からは、「その姿を人に見られることでボランティアをしている」といいます。転んだ人を見たとき、人は「自分も気をつけよう」と思うでしょう。つまり、外で転ぶということは、人に「足元に注意しなさいよ」といってあげていることと同じです。

人と関わらないのは、そのボランティアをしないということです。それでは、たましいの成長がありません。人と関わらなければ、傷つかないかわりに、たましいも磨かれないのです。人と出会い、関わり、傷つくことが、私たちには必要なのです。

人と関わり、いろいろなことがあって、削られて痛い思いをする。そして、たましいが輝きはじめる。それこそ、この世に生まれた醍醐味《だいごみ》です。そうやってたましいを磨く体験をすることが、私たちがこの世に生まれてきた意味なのです。

友だちも含めて、あなたの周囲の人々は研磨剤です。

あなたがこの世に生きて、成長していく上で、なくてはならないものなのです。

傷つくことでしか、たましいは磨かれないのですから、恐れることなく、積極的に多くの人と関わっていきましょう。

それによって、あなたはもっともっと素敵に輝くはずです。

〝時間〟をおろそかにしてはいけません それは自分を裏切る行為になるからです

友だちとの待ちあわせに、あなたは時間通りに行きますか？ それとも、少し遅れるほうですか？

時間の守り方を見ると、その人がわかります。

三〇分ぐらい前に行かないと、安心できない人もいるし、必ず五分前には着くようにしているという人もいるでしょう。かと思えば、遅刻の常習という人もいるかもしれません。

日頃、どんなに立派なことをいっても、ささいなところで約束を守らないことが続くと、周囲の信用を失います。

「一〇分ぐらい、いいじゃない」と思うかもしれませんが、待たされるほうの一〇分は長いものです。時間を守るということは、相手を気遣うということです。相手を待たせない。相手に迷惑をかけない。そういう人に対する「構え」が、時間の守り方にはっきりと表われます。今まで、誠実に相手とつきあってきたつもりなのに、なぜか信用してもらえないことが多かった、という人は、自分の時間の守り方を、もう一度、振り返ってみてください。

また、時間を守らないことは、相手に迷惑をかけるだけでなく、「○時に行きます」といった「自分の言葉を裏切る」ことにもなります。自分の行動が自分の言葉を裏切る、ということを続けていると、言葉にたましいがこめられなくなります。

すると、別の場面で、たとえば夢を語っても、その言葉にたましいがこめられません。いつもの行動が、言葉のエネルギーを弱めているからです。

反対に、自分の言葉と行動をいつも一致させようと努力している人は、言葉に力が出てきます。言霊《ことたま》のエネルギーを借りて、夢の実現に近づいたり、ツキを呼び込んだりできるのです。人間ですから、たまには遅刻をしたり、小さな約束を忘れたりすることもあるかもしれません。けれど常習になってはいけません。常習になると、感覚が麻痺《まひ》して、ほかの場面でも行動が言葉を裏切るようになります。

相手に迷惑をかけたことで、自分の言霊の力が弱まり、周囲からの信頼を失う。つまり、こんなところにも、「カルマの法則」が働いているのです。

「ここだけの話」で、どんなことがわかる？

「これはナイショなんだけど」といわれたことを、ついポロリと別の友だちに話してしまう。よくあることですが、自分では気がついていない場合が多いものです。チェックするために、質問では自分の会話の中に「ここだけの話だけど」という言葉がたくさん出てくるかどうか、という項目をあげました。

よく使う人は、要注意です。

ナイショの話を、ポロリと人にしてしまう、噂《うわさ》話を広めてしまうタイプの人は、その場では仲良くしていても、本当には信頼してもらえないからです。

言葉にはたましいがこもっていますから、自分が口にする言葉には、絶対に責任を持たないといけません。

話す内容が真実であればまだしも、よくわからないこと、真実ではないことを人に話すと、それはカルマになります。別の場面で、自分が同じように噂をされるなどの形で、自分にはね返ってくるでしょう。

でも、噂話は楽しい。それはわかります。けれど、たとえ噂話でも、その言葉にはエネルギーがあるのです。毒を持った言葉なら、その毒は、噂の対象だけでなく、話した本人にも作用を及ぼします。ですから、噂話をしてすっきりしたということはないはずです。かえって、どんよりした重い気持ちになるのではないでしょうか？

「ここだけの話だけどね」という言葉で話すのは、本当は伝わってほしいけれど、面と向かってはいいにくい、という場合に限ってください。それも、相手を傷つけようとしていうのではなく、相手のためを思って〝計算して〟使う場合、この言葉は効果的です。あるいは、自分の身を守るためでもいいでしょう。

「ここだけの話」が、「ここだけ」で終わることは絶対にありません。それほど、人は噂話や「ナイショの話」が好きなのです。

そういう習性を理解して、上手に言葉を使ってください。それが人間関係をスムーズにするコツの一つだと思います。

「うらやましい」と思うのは、自分を変えるチャンスがきたサインです

友人のことをうらやましく思ったことがない、という人は少ないでしょう。人をうらやんでしまうのは、誰にでもあることです。「うらやましい」気持ちが「妬《ねた》ましさ」になることもあったかもしれません。

「うらやましい」と思う気持ちは、ポジティブに利用しましょう。ただ人をうらやむだけでは、心のゆがみにつながります。うらやましいと感じるのは、自分自身のそうありたい姿が、その人の中に見えるからです。まず、そのことを素直に認めましょう。

自分がうらやんでいることを認めず、相手の悪口をいったりしても、幸せにはなれません。心がますます荒《すさ》み、なりたくない自分になっていくだけです。

うらやましい相手がいるなら、じっくり観察してください。

相手は、そうなるまでに、どういう努力をしてきたのか。そのことを見ないと、いたずらに妬ましくなるだけです。

基本的にこの世は公平です。幸せだけの人はいないし、不幸だけの人もいません。その事実に目を向けましょう。

次に、自分は相手の何がうらやましいのか、そのポイントを絞ること。漠然《ばくぜん》とうらやむのではなく、ポイントを理解することによって、自分の望みや願いがクリアになります。そうすれば、少しずつそれに近づくことができるようになるでしょう。

友だちが多いことがうらやましいなら、自分も友だちをつくればいい。心をオープンにして、自分から近づいていきましょう。

センスがいいことがうらやましいなら、自分もセンスを磨きましょう。ファッション雑誌を買って勉強するのもいいし、スクールに通うこともできます。

目標さえはっきりすれば、そこに到達する道はいくらでもあります。そのための情報も、周囲にたくさんあるはずです。

「うらやましい」「妬ましい」という気持ちだけにとらわれないでください。そこに立ち止まっている限り、自分を変えることはできません。目標を定めて、動き出しましょう。誰かを「うらやましい」と思ったそのときが、自分を知り、自分を変えるいいチャンスなのです。

大切な人との死別
——その悲しみの本当の意味を知っていますか?

事故や病気で親しい人を亡くすという経験は、誰にでも訪れます。やさしかった祖父母、楽しい時間を過ごした友だちと死別する悲しみは、言葉に尽くせないものでしょう。けれど、スピリチュアルな考え方をすれば、死は決して悲しいことではありません。たましいがこの世での経験を終えて、故郷に戻ったということです。向こうの世界では、拍手で迎えられているのです。

あなたがその人の死を間近で見る、ということには、意味があります。

「生きる」とはどういうことか。何のために自分は生きているのか。それをもう一度、立ち止まって考えてみなさい、というメッセージなのです。

これは、親しい人の死だけでなく、通りがかりに交通事故を見てしまった、という場合でも同じです。

その死がフッと心にとどまるときは、あなたの人生、あなたの生き方は、今のままでいいですか？　という問いかけをガイド・スピリット（指導霊）からされているのだと考えてください。そういう見直しが必要なときに、人の死に遭遇するようになっているのです。

「今、死んでも悔いはない」と思えるような生き方をしているだろうか。夢をどこかに置き去りにしていないだろうか。怠惰にマンネリの毎日を過ごしていないだろうか。

それを深く自分に問いかけることが必要な時期だということです。

親しい人の死に直面したときは、悲しみと寂しさでいっぱいになってしまうと思います。けれど、いつまでも悲しまないでください。

起きた事象を正しく受け入れられるかどうかで、人生の幸・不幸は決まります。目の前で起こること、見せられていることに、偶然はありません。その意味を正しくとらえてください。間違ってとらえると、悲しみを乗り越えられなくなります。

どんなに悲しいときでも、その悲しみがあなたに与えられた意味を考えましょう。

この世に偶然はありません。人は皆、いつかは死を迎え、故郷へ帰る存在です。あなたの悲しみも成長も、いつもガイド・スピリットが見守ってくれています。それを忘れないでください。

死にたいくらい悲しいことがあったときは……

失恋したとき、いじめられたとき、あるいはリストラにあったとき、「もう死んでしまいたい」と思うシーンは、人生で何度かあるでしょう。

それは、自分自身のたましいが深く深く傷ついているということです。もしかすると、心が殺されるような経験をしたのかもしれません。

そのことに対して、まず心から慰めの言葉を伝えたいと思います。

けれど、「死にたい」と思うのは、その傷を消してしまいたいということです。消してしまうというのは、その傷から逃げるということです。

逃げてはいけません。逃げずに、自分の本当の姿を見つめてください。

自分にとって、何がきつかったのか。何に傷ついたのか。その中に、自分自身の生き方の問題が潜んでいるのです。

「死にたい」と思ったとき、その瞬間は絶望していたり、苦しかったりして、冷静に考えられないかもしれません。けれど、乗り越えるためには、冷静に考えることが必要です。考えることによって、乗り越えることができるのです。

ただ、寂しい、苦しいという感情の中にうずくまるのではなく、なぜ苦しいのか、なぜ寂しいのかを、ノートに書き出したりして、考えてみてください。

厳しいようですが、いたずらに悲しんだり苦しんだりすることは、ただの逃避です。本当の自分の姿から目をそらそうとしているにすぎません。

苦しくても、本当の自分の姿を見つめると、そこから人生が変わってきます。同じことで傷つかないようになってきます。

傷つくということは、イコール弱いということです。強い人は、傷つきません。

自分のどこが弱かったのか、考えてみましょう。

たとえば、失恋した、相手に受け入れてもらえなかった、それが死にたいほど寂しかった、とします。

それは何を意味しているかというと、まず、彼はあなたの相手ではなかったということ。次に、あなたが「寂しさ」に弱いということです。寂しがり屋であるという自分の心の癖を、改めて見つめ直すことが必要です。

あるいは、「この人でないと嫌」と思い込んでしまう心の狭さがあるかもしれません。これからいくらでも出会いがあるのに、それが認識できなくなっているのです。
また、「死にたい」と思ったということは、「逃げたい」という願望があるということ。それもまた自分の真の姿です。

いじめた相手に復讐《ふくしゅう》するために死を考えたという人もいるかもしれません。でも、カルマの法則を思い出してください。自分のしたことは、必ず自分に返ってきます。あなたが復讐する必要はないのです。

それが信じられずに、自分の命を絶って復讐しようと考えたなら、それはやはり、物事を単純にしか考えられない心の狭さを表わしているのではないでしょうか。

死にたいと思った、そのときこそ、深く自分を見つめてほしいのです。どんなときよりも、くっきりと自分の姿が見えるはずです。恐れずに自分の姿を見つめることができれば、それは必ず立ち直る原動力になるはずです。

4
あなたには、どんな才能がある？

①子どもの頃、何をしているときが一番楽しかったですか？

②周囲の人にほめられたのは、どんなことですか？

③周囲の人に止められても、やりたかったことがありますか？　それは何ですか？

④勉強は好きでしたか？　得意科目は何でしたか？　不得意科目は何でしたか？

⑤どんな習い事をしましたか？　何年ぐらい続けましたか？

⑥心に残った本、映画、音楽などがありますか？　それは、どんなものですか？

⑦現在、何をしているときが、一番楽しいですか？

⑧職場で認められているあなたの特技は何ですか？

⑨他人の知らないあなたの特技は何ですか？

⑩これから、どんな習い事をしたいと思いますか？

才能のない人は一人もいません
気づいていない人がたくさんいるだけです

自分には、どんな才能があるのだろう。

何に適性があり、どんなことができるのだろう。

この自分への問いかけは、しているようで、実はしていない人が多いものです。

「私には、何の才能もないんです。取り柄なしです」と悩んで相談に来られる方は、多くいます。けれど、ほとんどの方が自分自身に深く問いかけて考えているかというと、そうでもないようです。

ここであげた質問項目は、埋もれたままになっている自分の才能を掘り起こすためのものです。

その前に、まず大前提をお話ししましょう。

才能のない人は、一人もいません。この事実に気づいてください。

もし、「私には何の才能もない」と思っているとしたら、それは気がついていないだけです。気づこうとしていないのかもしれません。

どんな人でも、キラキラ輝く宝石を必ず持っているのです。

あなたはこれまでに「なんて才能のある人なんだろう」と感じた人はいませんでしたか？　身近な人でもいいし、過去の偉人でも、マスコミに登場する人でもかまいません。才気を感じて、「いいなあ」「うらやましいなあ」と思ったことが、何度かあったと思います。

それは、「あなたの中にも、同じような才能がありますよ」ということの映し出しです。ガイド・スピリットが、あなたにその人を見せることによって、「早く気づきなさい」というメッセージを送っていたのです。

「気づきなさい。気づいたら、それを磨く努力をしなさい」といわれているのです。

このガイド・スピリットの言葉に耳を傾けてください。

周囲のすべての事象の中に、あなたへのメッセージはあるのです。その正確な意味を、きちんと受けとめましょう。鈍感になってはいけません。

あなたには才能があります。まず、その事実をかみしめて、信じてください。

どうして多くの人が「自分には才能がない」と感じてしまうのかというと、「才能」

を限定して考えているからです。

たとえば、「モデルになれる才能が欲しい」「すごい小説が書ける才能があるといいのに」と思っているとします。そういう人は、「でもダメ。私には才能がないから」とすぐにあきらめてしまうでしょう。それは、自分に都合のいい才能、つまり、人から見られたときに「格好いい」と思われるための才能を望んでいることが多いからです。

人からどう見られるかは関係ありません。

自分の才能を掘り起こすということは、自分自身の本当の姿を知る、ということです。本当の姿を知れば、その中に必ず「才能」は隠れています。

それは、人から見て格好いい才能ではないかもしれません。けれど、まぎれもなく、あなただけに、生まれながらに与えられたプレゼントです。宿命といってもいいでしょう。その宿命に気づき、受け入れましょう。

隣の芝生をうらやんでばかりいては、いつまでたっても自分の才能に気がつきません。宿命を受け入れて努力すれば、運命はいくらでも切り開けます。気づかなかった才能が、光を浴びて、みごとに花開くのです。

「好き」という気持ちを大切にしてください　それがあなたの〝才能〟につながります

自分自身の本当の才能に気づくためには、まず自分が「何を好きだったか」を振り返ってみることが必要です。

物心ついた頃から、あなたが好きだったことを思い出してみてください。何をしているときに喜びを感じましたか？　どんなささいなことでもかまいません。

その中に、「才能」が隠れているのです。

ただし、すぐにそれが周囲の人に認められるとは限りません。「何やってるの、この子は」と叱《しか》られたり、「下手ね」といわれることのほうが多いかもしれません。

それで、「そうか、私は下手なんだ」と思ってやめてしまったこともあるでしょう。

そんなことも、一つひとつ思い出してください。

私の例でお話しすると、私は小さい頃から絵を描くのが好きでした。根をつめてプラモデルなどをつくるのも好きでした。

けれど、小学校の図工の先生に「ぶきっちょだね、きみは」といわれたのです。

これがショックでした。でも、中学生になり、高校進学を考えたとき、どうしてもデザイン科に進みたいと思ったのです。両親を早くに亡くしたので、将来の進路を真剣に考えなくてはいけませんでした。それで、自分は何が好きかを必死に模索したとき、「やっぱり絵が描きたい」という気持ちになったのです。

でも、小学校のときの図工の先生の言葉があります。悩みました。そのとき、産休で休んでいた美術の先生に手紙を出して、相談したのです。すると、すぐに返事がきました。

「私は美術科への受験を勧めます。不器用だといわれたことを気にしているようですが、器用で上手な絵なら、誰でも描けます。でも、味のある絵が描ける人は少ない。味のある絵が描けるほうが貴重です。何より、あなた自身に絵が好きだという気持ちがある。それこそが、あなたの才能です」

この手紙は、今でも私の宝物です。

そして、私は周囲の皆に反対されながら、美術科を受験しました。

一緒に受験した友だちの中に、誰もが認める絵の得意な子がいましたから、「お前、あいつの描いた絵と比べてみろよ。無謀だよ」ともいわれました。

けれど、結局は合格することができました。

その後、大学に進学するときは、私は彫刻を選びました。今、美術の世界で生きてはいませんが、今でも、創作することが好きなことに変わりはありません。

もし私が「ぶきっちょだね、きみは」という言葉に縛られていたら、あるいは美術の先生の手紙がなかったら、私の美術方面の才能は眠ったままだったでしょう。人生から多くの喜びが失われていたと思います。

今、あなたに好きなものがあるとしたら、誰に何をいわれたとしても、その「好き」という気持ちを大切にしてください。下手なバッシングに負けてはいけません。

好き。その気持ちさえあれば、あとは努力でなんとでもなるのです。

「やってみたい！」その気持ちが本気なら、必ずたましいのバックアップがあります

あなたが持っている才能は、一つとは限りません。

人には、それぞれガイド・スピリットがついています。そのガイド・スピリットにもガイド・スピリットがついています。あなたを頂点にして、逆ピラミッドのようにガイド・スピリットの数は増え、広がっているのです。

それぞれのガイド・スピリットには、それぞれの才能があります。ですから、どんな人も、はかりしれない才能があるといってもいいのです。

人の可能性は無限です。

「好き」という気持ちが熱意となり、努力が加わって念力となり、背後につながるさまざまなガイド・スピリットを呼び起こしてくるのです。

熱意さえあれば、今まで出番がなかったガイド・スピリットたちも、たくさん応援にかけつけてくれます。それを忘れないでください。

私が、今のようにスピリチュアル・カウンセラーとしての仕事をしているのは、「好き」という気持ちからだけではありません。「好き」だけでいうなら、オペラを歌うこと、絵を描くことなど、ほかにも道はありました。

けれど、少しでも人の役に立ちたいという使命感が生まれたから、この仕事を始めたのです。そのとき、「お前がその仕事をするなら、手伝いをしたいというガイド・スピリットはたくさんいるよ」というメッセージがスピリチュアル・ワールドから降りてきました。

熱意と使命感があれば、ガイド・スピリットは降りてきてくれるのです。

つまり、現世でさまざまな活動をする人には、ガイド・スピリットもたくさんついているということです。シンプルに「この道ひとすじ」という人は、ガイド・スピリットもシンプルです。

好きなことがたくさんあって、あれもしたい、これもしたいと動き回っていると、それだけ才能が広がり、活躍の場も増えていきます。それをバックアップしてくれるガイド・スピリットたちが、にぎやかにあなたを取り囲んでくれるからです。

好きなことが移り変わってもかまいません。私も学生時代は美術が好きでしたが、今は音楽が大好きです。

物事が変化していくことは、決して悪いことではありません。喜んで変化を受け入れていれば、今が幸せなはずです。

ただし、喜んで変化してきたか、それとも怠惰な心から、好きなものをあきらめて変わってきたのかには、大きな違いがあります。

「私には無理だから」「才能がないから」とあきらめずに、好きなものを追い求めてください。すると、好きだと思える対象はどんどん増えていきます。眠っていた才能も目覚めて、活躍の場はますます広がっていくのです。

好きなことをするときに、人と競争してはいけません

「自分探し」をテーマにした特集記事が、雑誌などに掲載されることがあります。

一時期、幸せに生きるためのキーワードとして、「自分探し」という言葉が使われていました。けれど、誤解してはいけないのは、「人からどう見られているか探し」ではなく、自分自身の本当の姿を見る必要があるということです。

他人の目を意識していると、「自分」を見間違います。

たとえば、「好きなことをやりなさい」といわれても、失敗したら恥ずかしいと思って踏み出せないことがあります。それは、他人の目を意識しているからです。自分自身だけのことなら、恥ずかしさなどありません。喜びしかないはずです。

あなたは、他人の影法師ではありません。他人のために生きているのではないのです。必要以上に他人の目を意識して、自分の本当の気持ちを見失わないようにしてください。好きなことを見つけても、「下手だから」「できないから」と思ってやめてし

まうのは、人と比べているからです。比べたりしなければ、傷つくこともありません。できないなら、自分なりに努力すればいいだけのことです。

人と比べるから、焦りが生まれるのです。ですから、好きなことを始めるときに、いたずらに人との競争に出ないようにしてください。

きょうだいがいる人は、どうしてもライバル心が生まれるものです。

きょうだいが得意なことには、最初から背を向けてしまったり、「お姉ちゃんはできるのに、お前はできないね」などと比べられるのが嫌でやめてしまったりします。そういうことも、「好き」を遠ざける原因の一つです。

ファッションデザイナーのコシノ三姉妹は、互いに比べあったりしていないはずです。だから自由にのびのびと活躍できるのです。

「本当は好きだったのに、比べられるのが嫌で、やめちゃった」ということがあるなら、もう一度、今から始めてもいいのです。

誰とも比べる必要はありません。あなたは、あなた自身の喜びのために、今を生きているのです。

まず自分の心の内側を見つめること必要な情報はすべてそこにあるのです

自分は何が好きだったか、何が得意だったか、どんなことでほめられたか、などを思い出して、答えを書き込んでいくと、自分の本当の好みが見えてきます。

そのあとで、どうすればその好きなことを伸ばせるか、喜びに変えられるか、その方法を探すために、図書館やインターネット、書店を利用するのはいいでしょう。

けれど、順番を間違えないでください。

先に心を見つめてから、情報を探すことが大切です。でないと、情報の渦《うず》に巻き込まれて、再び自分を見失ってしまうでしょう。

過去を振り返って、好きだったことを探すとき、どんなささいなことでもいいのです。周囲の大人にあきれ返られたことでも、かまいません。

「こんなこと、たいしたことじゃない」と思っていたようなことの中に、意外な発見があるはずです。

たとえば、「お前はよくしゃべるね」といわれた人なら、人との会話が好きなのです。だとすると、外国語の習得が得意でしょう。英会話は多くの人が学んでいますから、イタリア語とかベトナム語を始めたりすると、意外とハマるかもしれません。

あるいは、小さいとき「活発な子ね」といわれたことがある、という人は、体育の授業は嫌いだったとしても、もともとの運動神経はいいのかもしれません。それなら、何かスポーツを始めてみてはどうでしょう。

相談者の中には、自分は虚弱体質だと思っていたのに、「子どもの頃は、体を動かすのが好きだったな」と気づいて、スポーツクラブに通いはじめ、ついにはエアロビクスのインストラクターになった人がいました。

過去を振り返って、自分の心を見つめることで、転身をはかった人はたくさんいます。もちろん、それで食べていけるようになるとは限りません。けれど、封印していた「好き」に気づいて、錆《さ》びついていたその扉を開ければ、そこには思いもかけない素敵な楽園が広がっていることが多いのです。

なぜだか新しいことにチャレンジしたいとき
ガイド・スピリットはあなたに「変化のとき」を知らせています

自分の好きなことを改めて見つけるために、今までにどんな習い事をしたかも、思い出してみましょう。

スイミング、英会話、ピアノなど、学校の勉強以外のことを習ったことがある人は多いと思います。

あなたは、その習い事が好きでしたか？　長続きしましたか？

好きだったなら、それをもう一度始めてはどうでしょう。

何か新しいことを習いたいというときは、気持ちが前向きに変化してきているということです。そのことをまず意識してください。気づかないと、気持ちのエンジンを巻ききれません。

「今は、変化のとき」「自分自身が、よりふくらむとき」

そうはっきりと意識すれば、もっと真剣に、何をやるべきかを探したくなるでしょう。そして、充実感の持てる大好きな「何か」にめぐりあうことができるはずです。

自分の気持ちが今、前向きに変化しているということをつかみきれないと、きっかけを逃して、結局何も始められなかったり、適当なことを始めて長続きしなかったりしがちです。過去を振り返って、そういうことがなかったか、チェックしてみてください。

ガイド・スピリットは何かを始めるのにいい時期を、きちんと教えてくれます。

私も、音楽大学に行く三年前に、なぜかいきなり「歌を歌いたい」という気持ちになり、声楽を学びはじめました。途中ポリープで中断したものの、結局、音楽大学を受験して合格。今は卒業し、年に一度か二度、発表会で歌っています。これは、私にとって、本当に大きな喜びです。

もし今なら、歌を学ぶ時間はとれなかったでしょう。いい時期に思いきり学べました。「歌いたい」という気持ちをただ素直に見つめ、無理をせず時期を待って、チャレンジしたことが功を奏したと思っています。

あなたにも、同じような経験がありませんでしたか？　まだないという人は、これからです。たましいの声に素直に耳を傾け、「好きなこと」を始めてください。

ふと目にとまった一冊の本の中の一つのフレーズ その中にもヒントは隠されています

自分自身を知る方法として、今まで心に残った本、映画、音楽などを振り返ってみるのも有効です。漫画でも、ドラマでもかまいません。

心に残るものには、必ず自分自身の心が反映されています。自分の心が共鳴する言葉があったり、反対に、自分には足りない部分が描かれていたりするのです。

ですから、なぜその本が、映画が、音楽が、心に残っているのか、自分の何が反射して映し出されていたのか、それは分析しておきましょう。音楽の場合、たとえば歌詞が好きだったなら、その歌詞のどのフレーズが好きだったのか、ということを思い出してください。

すると、そのときの自分の心の状態や、気質、好みなどが、はっきり見えてくるでしょう。

たとえば、拙著『幸運を引きよせるスピリチュアル・ブック』は、おかげさまで多くの方に読んでいただいていますが、もし、あなたがあの本を読んでくださっているなら、本の中のどのフレーズが心に残っているか、考えてみてください。それは、あなた自身のたましいが反映された内容になっているはずです。

自分が何に悩み、何を疑問に思って生きているのか。何が好きで、どう生きたいのか。そんな悩みや疑問があるから、「心に残る」という現象が起きるのです。

あなたのたましいが、ある一冊の本を手にとらせたり、映画館に足を運ばせたりします。ふと街で聞こえてきたメロディに、涙ぐませたりもするのです。

本一冊、映画一本でも、その中から本当の自分を知ることができます。そういう目で、あなたの周囲を見直してみてください。

この世に偶然はないということ、世界が啓示に満ちているということが、きっとわかると思います。

5

あなたは、どんな場で活躍できる?

①あなたの仕事は何ですか?(「適職」は何ですか?)

②その仕事で、満足なのはどの点ですか?

③その仕事で、不満なのはどの点ですか?

④その不満を解消するために、できることは何ですか?

⑤転職を考えたことがありますか？

⑥実際に転職をしたことがありますか？　その理由は何ですか？

⑦その転職は成功でしたか？　失敗でしたか？

⑧損得抜きで、やりたくて仕方がない仕事は何ですか？（「天職」は何ですか？）

⑨⑧の仕事を実際に始めたとしたら人生はどう変わると思いますか？

⑩ボランティア活動をしていますか？　したいと思ったことがありますか？

「天職」と「適職」が教えてくれること

自分の好きなことを仕事にしたいと思う人は多いでしょう。

けれど、好きなことを仕事に直結させるのは、少し考えてからにしてください。

仕事には、「天職」と「適職」があります。天職とは、自分に与えられた才能を生かせる仕事。それをしていることが楽しくて仕方がない、自分のたましいが喜ぶ仕事です。一方、適職とは、生活をしていくお金を稼ぐための仕事です。

この定義づけを、まずしっかり頭に入れてください。

適職の中に、天職を織り込もうとすると、苦しくなります。お金を稼ぎながら、そこに喜びも得たいと願うのは人情ですが、基本的にはそれは贅沢《ぜいたく》なこと。

経済の適職、喜びの天職。この二つは分かれるのが普通です。

今の仕事が苦しいなら、その苦しさの原因をよく分析してみましょう。

適職の中に天職のエッセンスをまぜようとすると苦しくなってしまいます。

そういうときは、天職の部分、つまり、お金にはならないけれど、やりたくて仕方がないことをする時間を充実させてください。

お金を得るための適職で、苦労があるのは当然のことです。

どうしてもそう割りきれずに、適職を辞め、天職だけにして、結果、食べていけなくなって路頭に迷う人はけっこういます。そうなっては、元も子もありません。

「適職なのにサラリーが安い」ということが悩みなら、ほかの会社を調べて、もっといいサラリーがもらえるかどうか、情報を集めましょう。そのサラリーに見合うだけの能力が自分にあるかどうかも視野に入れて、もしないならその能力を磨きましょう。

目標が見えれば、方法は必ずあるはずです。

ただしそのときも、一方で「天職（＝喜び）」をおろそかにしないでください。

喜びが涸《か》れると、仕事への不満が出てきます。

適職は、どうしても拘束時間が長くなるので、天職に費やす時間が少なくなります。

だから、適職の中に天職の要素を織りまぜて、休日は何もせず、ただ体を休めるだけにしたくなります。

でも、そうすると喜びの少ない毎日となり、仕事への不満が募ってきます。

天職は、休息日をつぶしてもなお余りある喜びを与えてくるもの。一日、部屋でゴロゴロ寝ているだけでは疲れはとれませんが、天職である活動に打ち込むと、翌日、また元気よく適職に戻っていけます。すると、不満も解消されるのです。

今、あなたの天職は何で、適職は何か。それをはっきりさせましょう。

単純に分けられないかもしれません。会社の中の仕事でも、天職と適職があるかもしれないし、休日のボランティア活動の中でも、天職と適職に分けられる場合があるでしょう。

私の場合は、大きく分ければ、スピリチュアルな活動は適職で、オペラを習い、発表会を開いて、人に聴いていただくという活動は天職です。ただし、スピリチュアルな活動の中でも、本を書く仕事は、たとえ売れなくても、執筆することに喜びがあり、続けたいと思うので天職、カウンセリングは適職だと思っています。

そんなふうに、あなたの中でも位置づけをはっきりさせてみてください。そして天職を充実させましょう。すると、仕事の悩みは解消し、不思議なぐらい気持ちがラクになっていくはずです。

悩みをじっくり分析すれば、仕事の質を高められます

どんな活動でも、仕事にすると嫌になってくる部分があります。

たとえば、歌でも、本職の歌手になると、歌の喜びだけではなく、さまざまな苦労を抱えることになるでしょう。長く続けていると、初心を忘れてマンネリ化することもあります。

そんなときこそ、自分の心を深く内観することが必要です。自分にとって、この活動は天職か、適職か。天職だと思って始めたのに、喜びが感じられないのはなぜなのか。適職だと思っているのに、割りきれないのはなぜか。

ときどき、その仕事自体がつらいのか、それに付随するさまざまな事柄、たとえば人間関係や拘束時間がつらいのか、混同している人がいます。仕事の内容そのものが嫌いなわけではないのに、「ああ、もうこんな仕事イヤ！」と思って辞めてしまうのはもったいないことです。仕事の周囲を分析し、自分の心を内観して、いったい仕事

の何が嫌なのかをはっきりさせることが必要です。

相談者の中に、フリーのカメラマンがいました。写真を撮るのは好きだし、いい被写体に向かうと胸が高鳴る。けれど、いい写真を撮っても、それに見合うギャラを支払ってもらえない場合が多い。せっかく労力をかけて精魂込めて撮った写真に、ギャラという形での評価がこないことがむなしい。それが彼の悩みでした。

「もうカメラマンはやめようかと思うんです」という彼の問題は、実は仕事そのものではなく、マネジメント能力にあるのです。

写真を撮ることを仕事にする場合、その中でも、適職と天職があるでしょう。

適職は、お金のために撮る写真。天職は、自分が本当に撮りたい被写体を探し出し、真剣にそれと向きあって撮る写真。自分のたましいのために撮る写真です。

天職で撮った写真は、お金にならなくてもいいのです。そう覚悟を決めて撮ることが必要です。その場合は、人の評価も望まないほうがいいでしょう。自腹を切って個展を開いて見てもらうのはかまいませんが、「評価してくれない」と怒るのはどうでしょうか。

一方、適職で撮る写真は違います。生活のため、お金のために撮る写真です。そう覚悟を決めて撮った写真に、相手がギャラを払ってくれない。あるいは、安く叩かれてしまう。そんな場合、それはクライアントを間違えているのです。そういう相手と仕事をしてはいけません。自分を高く買ってくれる人を探すべきです。本当に能力があるなら、そういう人は必ず現われます。探す前からあきらめてはいけません。

腰は低く、プライドは高く。決して自分を安売りしない。

その決意がないと、流されてしまうでしょう。しっかりした仕事相手と、きちんとしたスケジュールを組んで、いい仕事をする。それがマネジメントの力です。そこをうやむやにしたまま、漠然と不満を抱いていても状況は変わりません。

仕事そのものが嫌なのか、それともマネジメント力がないから苦しいのか、それをはっきりさせましょう。マネジメント力がないとわかったら、それを補う方法を考えればいいのです。情報はいろいろあるはずです。

フリーの人だけではなく、会社勤めの人にも、同じようなシチュエーションはあるのではないでしょうか。

大切なものを失ってしまう前に、悩みの本質をきちんと見極めてください。それが仕事の質を高めることにもなるでしょう。

「なぜやめたいのか」を正しく見極めましょう
それが転職を成功させるコツです

「こんな会社、辞めたい」「ほかの仕事に転職したい」と思ったことがまったくないという人は少ないでしょう。

実際に転職した人も多いかもしれません。終身雇用制が崩壊しつつある今、転職は別に珍しいことではなくなりました。

けれど、転職には二通りあるということを忘れないでください。

一つは、より自分に向いた仕事を得るため、よりよい待遇の職場を得るための、前向きな転職。もう一つは、今の仕事や職場が嫌だからという、逃げの転職です。

向上心を持って、前向きに転職を考えるとき、その転職はだいたい成功します。自分が出しているいい波長が、いい仕事を引きよせるからです。ますます能力に磨きをかけて、伸びていける職場が見つかるでしょう。

反対に、今の職場の待遇や人間関係が嫌で、そこから逃げるために転職を考えているときは、あまりいい仕事は見つかりません。自分が出している悪い波長に見合った仕事しか見つからないので、職を転々とすることになりかねないのです。

過去に転職を経験したことのある人は、そのときの自分の気持ちを振り返ってみてください。

向上心からだったか、それとも、逃げからだったか。そして、その転職が成功だったか、失敗だったか。波長の法則が作用していたことが、理解できるはずです。

その経験を、これから仕事を続けていく上でも役立ててください。

この指針を持っていると、将来、同じ気持ちになったときに、答えを見つけやすくなります。

転職を考えたときには、自分自身でその「転職願望」の質を診断することが大切なのです。ごまかさず、深く自分を見つめて、自分が前向きな気持ちでいることを確認できたら、そのときこそチャレンジしましょう。

必ず満足のいく結果が手に入ります。

誰かのために役立ちたい気持ちに素直に
今よりひと回り大きい世界が広がります

今は、さまざまな分野でボランティアの人たちが活躍しています。でも、「興味はあるけれど、ボランティア（＝無償で働く）って、なんだか偽善的で嫌だ」という人もいます。

ボランティアに興味がわくのは、あなたのたましいの中にある「愛」が発揮されようとしているときです。

ですからボランティアは偽善でもなんでもありません。それが、本当のあなたなのです。あなたのたましいの中に、美しい部分があるということです。

そうやって始めたボランティア活動の中に、自分の「天職」を見出す人もたくさんいます。報酬はないけれど、喜びがあるからです。

「私はボランティアなんてまったく興味がない」という人も、一度、自分の心を振り返ってみてください。もしかすると、愛の電池が足りなくなって、どこかで寂しさを感じているのかもしれません。

愛の電池がたまると、心の奥底に隠れていた神我《しんが》が現われてくるのです。人の心の奥には、神が住んでいます。どんな人の心の奥にも、神がいるのです。愛の電池がたまると、その神が姿を現わします。電池が足りないと、ためることに精一杯で、なかなか神我までたどりつけないのです。

ボランティアというのは、別に「団体」に入らないとできないことではありません。たとえば電車の中で妊婦さんに席を譲ってあげた。それもボランティアです。公園で空き缶を一つ拾ってゴミ箱に入れたり、エレベーターで「開」のボタンを押して先に人を降ろしてあげたり、その程度のささやかなことでもボランティアなのです。

誰かの役に立ちたいと思う気持ち。自分なりに世の中に参加したいという気持ち。それを大切にしてください。実はそれは、仕事をする上でも大切な感覚です。

自分の中の「愛」を発揮したとき、心にすがすがしい思いが広がるでしょう。そして、ボランティアは、「人のため」ではなく、最終的には「自分のため」であることに気づくはずです。そんな経験が、あなたのたましいをより輝かせることになるのです。

6

あなたは、どんな恋愛を経験する？

①子どもの頃、好きな男の子(女の子)はいましたか？　何人でも思い出してください

②どんなタイプの人でしたか？　その人のどこが好きでしたか？

③その人に好きだという気持ちを伝えましたか？

④その人と、どんな思い出がありますか？

⑤なぜ別れることになったのですか？　そのとき、どんな気持ちでしたか？

⑥今、好きな人がいますか？

⑦その人のどこが好きですか？

⑧その人との結婚を考えていますか？

⑨今まで好きになった人たちに、共通点はありますか？

⑩別れ方に共通点がありますか？

好きになった人を見れば、自分の〝たましいのクセ〟がわかります

今まであなたは、どんな人を好きになりましたか？

その相手を見れば、あなたの本当の姿が見えてきます。

友人と同じように恋の相手にも、自分の心が映し出されるからです。

友人の場合と違うのは、恋愛では、自分のトラウマ（心の傷）が映し出されやすいということです。私のオフィスには、恋の悩みを相談に来られる人も多いのですが、その七割がトラウマによって間違った相手を選んで苦しんでいる人。あとの三割が、本当の相手を選んでいる人です。

トラウマから相手を選ぶと、手痛い失恋で終わることが多くなります。一方、本当の恋をしている人は結婚に進むか、たとえ別れたとしても、いい別れができるのです。「卒業する」という形でお別れができます。

では、トラウマから始まる恋には、どういうケースがあるのでしょう。

たとえば自分の容姿や仕事、経済力にコンプレックスがあるために、「自分が人からどう見られるのかが気になって仕方がない」という人は、恋の相手も、「見た目が格好いい」「リッチでいい車に乗っている」「格好いい職業についている」などという外面的な条件で選ぶ場合が多いのです。

つまり、友だちに紹介したとき、どう思われるか、ということを気にしているだけで、本当に自分に合うかどうかを見ていないのです。厳しいいい方をすれば、相手を自分の付属品としての価値で判断し、利用しているといってもいいでしょう。

こういう場合は、相手も同じようにこちらを利用しようとします。だから、もっといい条件の人が現われると、すぐに心変わりしたりするのです。

また、生まれた環境や家族がトラウマになっているケースもあります。

たとえば、自分の父親が大嫌いだったという人は、無意識のうちに「自分の理想のお父さん」のような人を恋愛の相手に選ぶ傾向があります。反対に、自分のお父さんが大好きだった人は、そのお父さんと似た人を追いかけてしまいがちです。

お母さんに、「こんな人と結婚しなさい」「こんな人としてはダメ」といわれすぎて、それに縛られてしまう場合もあります。反発して、正反対の人を選んでしまったり、あるいは、その言葉通りの人を選んでしまうのです。

いずれも、「本当の自分の心が求める人」を探さずに、過去のトラウマに振り回されているといえます。今までのあなたの恋がトラウマによるものなのか、それとも本当の相手を選んでいたのかを見分けるためには、今までの恋愛経験に共通点がないか、チェックしてみてください。

たとえば、「皆、外面が格好いい人だった」「お父さんに似ていた」「お金持ちだった」などの傾向があるとすれば、要注意です。子どもの頃なら、「成績のいい子だったから」「やさしいから」という理由もあるかもしれません。

人間ですから、相手の表面にとらわれるのも、ある程度は仕方のないことです。けれど、それだけの理由で人を好きになることが多い人は、どういうトラウマが、その恋に走らせたのか、自分の心の奥をもっと深く内観し、分析したほうがいいでしょう。

「相手のこの部分が尊敬できたから」「自分にはないものを持っている人だから」などの理由をあげた人なら、トラウマからではなく、本当に自分に合う人を好きになったのでしょう。それはいいことだと思います。

書き込んだ答えを見直して、もう一度、自分の恋について考えてみてください。

あなたにとっての運命の人はどこにいる？

「私のことをとても愛してくれる人だから」という理由で、相手を好きになるケースもあります。

その場合、自分もその愛に応えたい、応えようと努力しているなら、いい形で発展していくかもしれません。けれど、そうではなくて、ただ相手からの愛に甘えるだけであれば、いつかは別れがくるはずです。

なぜなら、心の中に相手への依存心があるからです。

「愛されること」が好きなだけで、相手の人自身が好きなわけではないからです。

「愛されること」だけを求めて、自分からは愛さない人は、寂しがり屋です。愛されていると安心できるタイプなのです。

こういう人は、「愛されている」状況が心地いいので、二股、三股かけたりします。

でも結局は自分が一番かわいい。自己愛が強いのです。その心の背景には、家族から愛されなかったという過去があるかもしれません。

そういう心の真実に目を背けたままだと、いつかは相手も離れていくことになるでしょう。そして、同じことをくり返してしまうのです。

逆に、「二股かけられることが多い」「いつも女癖の悪い人ばかりを好きになってしまう」という人の場合も、そういう相手ばかりを好きになってしまう自分の心を内観してみてください。

甘い言葉に弱いところはありませんか？　やさしくされると、「自分だけ特別に愛されている」と思ってしまうところはないですか？　「彼に何人の女がいても、私が一番のはず」と思う傲慢《ごうまん》さがありませんか？　相手の要求を断れない気の弱さがないですか？　人からどう見られるかが気になって仕方がないのではありませんか？

このような場合も、結局は心の奥底に寂しさ、弱さがあるのです。そのために目が曇り、本当に自分だけを愛してくれる人を選べなくなっているのでしょう。

そういう自分の心の問題に気がつけば、明日から異性を見る目が変わります。たましいが本当に求めている人は、あなたのすぐ隣にいるかもしれません。

本当にふさわしい相手にめぐりあうために大切なこと

先の項目で書いたように、トラウマが見せる幻想を恋と勘違いしていると、いい別れ方もできません。ですから、別れ方を見れば、自分が相手を間違っていたかどうかがはっきりするでしょう。

たとえば、恋人を別の人にとられて別れた場合、別の人に心移りするような相手を選んでしまったという自分の「見る目のなさ」がはっきりします。また、自分自身の愛し方が一方的で、相手のことを本当には考えていなかったのかもしれません。相手の愛に安穏とあぐらをかいて、魅力を磨く努力を怠っていたということもあるでしょう。

あるいは、自分のほうが冷めてしまって別れた場合、これは、「相手の本当の姿を見ていなかったのではないか」という視点が必要です。

相手の中に、「理想の恋人」を勝手につくり上げて、その架空の人に恋をしていたのかもしれません。

「熱しやすく冷めやすい」タイプの人は、こういうケースが多いのです。等身大の相手をきちんと見ていれば、「あんな人だと思わなかった。がっかりした」と思って気持ちが急に冷めるということはないはずです。自分の早合点や思い込みで相手を判断して、それに恋をしていると、相手への失望が大きくなります。実際の相手は見ていないわけですから、相手には大変失礼なことです。

そういう恋が多い人は、人がいいのです。相手を実際よりいいほうに誤解してしまう、恋に恋するロマンティスト。少し幼い部分があるともいえます。

自分がそのタイプだと思うなら、もっと冷静に相手を判断するように気をつけたほうがいいでしょう。恋が始まるときは、なかなか冷静ではいられないものですが、だからこそ、情熱に飲み込まれずに、意識して冷静に相手を判断することが必要なのです。

自分の過去の恋愛と、そのときの自分の心を深く内観していくのは苦しいことかもしれません。けれど、多少苦しくても、これから本当の愛にめぐりあうために、今、この作業はしておきましょう。

ソウルメイト〈たましいの恋人〉と出会い、恋愛するためには？

本当に自分に合う人と恋愛をするためには、まず、自分のことがわかっていないといけません。洋服を選ぶとき、自分のスタイルや好みをわかっていないと、自分に何が似合うかわかりません。それと同じです。鏡をよく見て、自分を知るところから、恋も始まるのです。

たとえば、自由奔放なタイプの人が、商社マンの奥さんになりたいと思っても、難しいものがあります。会社の命令ひとつで海外赴任も当然、会社内の上下関係が私生活にも持ち込まれる、そんな暮らしでは、自由に生きたいという思いは抑圧されます。

「商社マンはリッチで格好いいから」などの理由で選んではダメなのです。もちろん、ある程度の生活の基盤は必要ですから、表面的、物質的なことは無視できません。けれど、物質的なことだけが選ぶ基準になってしまうと、必ず目が曇ります。

あなたの目は澄んでいますか？　曇ったりしていませんか？

澄んだ目で、自分と相手の本当の姿を見つめることが、たましいの恋人に出会う第一歩です。

本当に自分に合うタイプを知りたいとき、大きなヒントになるのは、幼い頃に好きだった人のことです。幼い頃は、偏見や差別心からも比較的自由です。だから、本当に自分の心が求める人を好きになることができるのです。自分にとって、一番、純粋な相手といえるでしょう。

あなたが幼稚園の頃、小学校の頃に好きだった初恋の男の子。その子のどこが好きだったのか、思い出してみてください。

動物の好きなやさしい子だったか、おもしろいことをいう元気な子だったか。だとすると、本来のあなたは、そういう人が好きなのです。

それが今は違ってきていませんか?

「年収はいくら以上」「公務員がいい。リストラがないから」などと思っていませんか?

純粋に「あの子のことが好き」と思った時代、あのときの気持ちをもう一度、取り戻しましょう。

恋をすることは、感動すること
あなたにとって「いい恋」とは？

誰もが「いい恋愛がしたい」と考えています。

では、「いい恋」とは、どういう恋なのでしょうか。

たった一人の人と、長続きする恋をすること。確かに、それもすばらしいことです。

でも、一つの恋を貫くことだけが、絶対的にいいわけではありません。

恋は感性を磨くレッスンです。数多く、いろいろな人を見て、いろいろな自分を知ることのほうが大切です。

ですから私は、「いい恋愛をしましょう」ではなく、「失恋をたくさん楽しみましょう」といいたいと思います。

たくさん恋をして、別れて、削られて（傷ついて）、でもその中で、人を知り、自分を知ることができます。誰かに恋をすることで、泣き、笑い、喜び、怒り、悲しみ、つまり喜怒哀楽のすべてを体験できるのです。

私たちは、感動するために、この世に生まれてきました。

恋をするとは、感動することです。

いい恋も、悪い恋も、たくさんして、たくさん笑い、たくさん泣きましょう。

一つの恋愛だけしかしていない人は、その恋が終わると、長く引きずってしまいます。終わった恋を引きずる必要なんてありません。失恋は、一日も早く思い出にして、また次の恋をすればいいだけのことです。

たくさん恋愛をしている人は、自分の失敗の仕方を何度も学んでいるので、立ち直りが早かったり、自分への洞察が深くなったりします。

「いい人がいないから」「私は恋愛が下手だから」「面倒くさくて」という理由をつけて、恋をしない人も多いのですが、それはあまりいいことではありません。

くり返しますが、恋愛は感性の勉強なのです。その勉強をさぼっていてはいけません。どんどん恋をしましょう。

相手を選びすぎると、結局、恋ができなくなってしまうので、まずは気楽に、ボーイフレンドとしてつきあえばいいのです。

その中から、恋に発展する場合があるかもしれません。発展しなくても、ボーイフレンドは多いほうが楽しいでしょう。恋人ではなくても、相手の中に映し出される自分自身の姿を見て、自分を知る手助けにもなります。

「私は自分が嫌いだから、人も好きになれない」とか「親からかわいいといわれたことがないから、男の人とつきあうのが怖い」という人もいます。

そんな場合でも、勇気を出して、つきあってみましょう。

最初から真剣勝負ではなく、スポーツジムだと思ってください。女の子を傷つける男の子は、そんなにたくさんはいません。普通の男の子はやさしいものです。自分にトラウマがあると思う人は、やさしい男の子に恋愛のスポーツジムになってもらえばいいのです。

そうやって、喜怒哀楽を経験し、感動して、自分の中に愛の電池をためていきましょう。

その中で、自分とはこういう人間なんだ、という学びを積み重ねていく。そこに新しい発見があり、新しい幸せがあるのです。

7 あなたは、どんな結婚をする？

《独身の人へ》

①今、結婚したいと考えていますか？

②結婚相手と恋愛相手は違うと思いますか？　その違いは何ですか？

③あなたにとって、「幸せな結婚」とは、どんな結婚ですか？

④結婚するとしたら、何歳で、どんな人と結婚したいですか？

⑤結婚している友人を、うらやましいと思ったことがありますか？

⑥不倫をどう思いますか？

⑦子どもが欲しいと思いますか？

⑧離婚についてどう思いますか？

《結婚している人へ》

①結婚を決めた理由は何ですか？

②夫（妻）に満足していますか？

③夫（妻）がしてくれたことで、一番うれしかったことは何ですか？

④夫（妻）がしたことで一番嫌なことは何ですか？

⑤夫（妻）の不満なところはどこですか?

⑥夫（妻）に感謝を伝えたことがありますか?　どんな形で伝えましたか?

⑦あなたにとって夫（妻）とは、どんな存在ですか?

⑧離婚をしたいと思いますか?　または、したことがありますか?

好きな人が理想の結婚相手とは限りません
ベストパートナーはこの〝視点〟で選ぶべきです

お互いに夢中になっていても、結婚を意識した時点で、結婚モードで相手を見るように切り替えていくことが必要です。なぜなら、恋愛の幸せと、結婚の幸せは違うものだからです。

恋愛は感性のレッスンだと、前章で書きました。相手とぶつかりあったり、心が焦がれるような思いを経験したり。そういう激しい波に揉まれて、心が揺れ動くことが恋愛の幸せです。

けれど、結婚は違います。結婚は継続であり、忍耐なのです。

いかに相手と地道な日々の積み重ねができるか。これがポイントです。結婚したあとも、心が波立っているようでは大変です。長続きはしないでしょう。

十代の頃は、誰でも恋に夢中です。喜怒哀楽をもっとも強く経験できることといえば、恋愛でしょう。二十代前半で社会に出ても、やはりまだ喜怒哀楽の中心は仕事ではなく、恋愛なのではないでしょうか。

それが二十代後半、三十代になると、今度は、社会生活、つまり仕事の場が喜怒哀楽の中心になってくるのです。部下や上司との人間関係をこなし、仕事で成果をあげる。そういう体験に心が動くようになってきます。

そのときに家庭の中が揺れていると、社会性のない大人になってしまうでしょう。結婚したあとも、恋愛モードから切り替えられないと、社会に目が向かなくなるのです。仕事にも打ち込めません。

それが原因で、社会からドロップアウトしているような人は、たくさんいます。家庭内での揉め事で仕事に穴をあけたり、会社を辞めたりすることになりやすいからです。

たとえば転勤の辞令がおりても、奥さんが嫌だといい張って揉めたり、夫婦で海外赴任しても、奥さんだけ先に帰ってきてしまって、社内での評価が落ちたりすることもあるでしょう。女性が仕事をしている場合でも同じです。家庭の中がゴタゴタしていては、いい仕事はできません。

結婚するということは、二人でユニットになり、一緒に社会と向きあっていく、ということなのです。

恋愛は、あくまで一対一の関係です。あなたと私の問題。二人が向きあって、その世界の中で解決していればすむ話です。

けれど結婚は、二対多。私たちと社会、という関係に発展したものなのです。

結婚相手は、チームを組んで、ともに社会と戦うパートナーですから、そこには恋愛とは別の感動があります。小競《こぜ》りあいもあるでしょう。どうして一緒に戦えないのかと悩んだりして、それが学びになったりもします。

子どもが生まれたら、ともに子どもを守りながら、社会と向きあっていくことになります。そのとき、忍耐が必要になってきます。それを学ぶために、結婚するといってもいいのです。

そんな中で、じんわりと相手への愛が深まり、恋愛時代とは別の幸せが育まれていきます。

ですから、結婚の相手と恋愛の相手は、まったく違うと考えてください。

結婚相手を選ぶときは、ともに同じ方向を向いて、社会に出ていける相手かどうか、ということを中心に考えなくてはいけません。

「この人と結婚したら、私も相手も、安心して社会で活躍できるだろう」

　そういう人を選んでください。そのためには、さまざまな事柄に対する価値観が同じであることが、とても大切になってきます。

　これは、専業主婦になる人でも同じです。主婦にも、社会活動は必ずあります。子どもが生まれたらなおさらです。

　恋愛は、訓練の場です。そこで、いろいろなタイプの人を知り、自分がどういうタイプの人となら、安心して家庭を築き、そこを足場に社会で活躍できるようになるかを学ぶ場です。そして、結婚は実践、実習の場。恋愛の訓練で学んだことを生かして、パートナーとともに、家庭生活、社会生活を築いていく場なのです。

　つまり、「結婚してから、あいつはいい仕事をするようになった」といわれるような結婚、それがいい結婚です。

　結婚を迷うとき、結婚に漠然としたイメージしか持てないときは、まずこの違いをしっかり理解してください。そうすれば自然と答えがはっきりしてくると思います。

恋愛から結婚へ、「愛情の形」も切り替えが必要です

「結婚しても恋愛がしたい」という願いは、多くの人が持つものだと思います。ただ、夫や妻とは、恋愛していた頃のようなときめきを持つのは無理でしょう。前項で書いたように、結婚と恋愛はまったく違うものだからです。恋人ではなく、家族になるのです。焦がれる思いや切なさがいつまでもあったら、それはそれで大変です。「でも、そういう思いがないとつまらない」という人は、おそらく恋愛をすべきときに十分していなかったのではないでしょうか。不完全燃焼だったから、いつまでも「恋愛がしたい」と思ってしまうのです。

けれど、結婚したということは、もう訓練時代は終わったということ。実習に入っているのです。その気持ちの切り替えは、しっかりしないといけません。

また、愛情の電池が切れてくると、家庭外の恋愛にそれを求めようとします。大人になり、家庭を持つと、なかなか人に甘えられません。夫婦とも忙しいと、な

おさらです。そんなとき、恋愛の心地よさを思い出して、つい家庭外恋愛に興味が出てしまうのでしょう。

互いに責任がとれるのであれば、不倫が悪いことだと決めつけるつもりはありません。でも、愛情の電池切れから不倫に走る場合、相手の実像を見ているわけではなく、自分の寂しさを埋めるために利用しているだけですから、長続きはしないでしょう。最悪の場合は、家庭も恋人も、両方失うことになりかねません。

不倫に本気になると、それはまたエネルギーのいることですから、だいたいの人は、チャンスがあっても踏みとどまるのではないでしょうか。その分、不倫ドラマや映画が流行《はや》ったりする。現実にはできないけれど、フィクションの中で疑似体験するのです。ですから、一般にいわれているほど、多くの人が不倫をしているわけではないと思います。

愛情の電池が切れたなら、たとえば恋人でなくても、ボーイフレンド、ガールフレンドをつくるといいでしょう。男女の関係は、恋か結婚か、二つに一つということはありません。いろいろな関係性があっていいと思います。異性でなくても、ほかの家族や友だちとの時間を充実させることで、愛情の電池は充電できます。

結婚を通して見えてくるあなたの「課題」は何？

恋愛から結婚へと渡る橋には、関所があります。渡るにはパスポートが必要なのです。

くり返しますが、恋愛は感性の勉強、結婚は忍耐の勉強。学ぶ内容が違います。気持ちの中で、その切り替えができているかどうか。これを証明するパスポート、通行手形が必要なのです。

切り替わっていない人は、まだ結婚する時期ではないといえます。

でも、恋愛が盛り上がって、「結婚しよう」となったときは、気持ちが舞い上がっているので、なかなか冷静な気持ちになれません。

だから、この本を使って、質問項目に答えながら、気持ちを冷静に分析していただきたいのです。

もしあなたが既婚者なら、結婚したときのことを振り返ってみてください。「冷静に判断しなかったけれど、今はなんとかうまくやっている」という人もいるでしょう。

けれど、恋愛モードのまま結婚してしまった人は、不満が出てきているかもしれません。今からでも「結婚」の意味をとらえ直し、モードを切り替えてみてください。

相談者の中には、恋愛時代から首尾一貫して、「お金持ち」を求めているという人もいます。自分を分析した結果、「私はこういう理由で、お金が第一だと思っている。だから、お金のある人と恋愛して結婚する」と割りきっているならいいのです。その考え方のまま、一生を無事に過ごす人もたくさんいます。四十代ぐらいで、一度、ゆがみが出るでしょうが、そこを乗り越えれば、あとは淡々と暮らしていけるでしょう。

ただし、今はこんな時代ですから、夫の仕事しだいで一文なしになることも考えられます。そのときに苦労はしても、それもまたその人の学びだと思います。

問題なのは、自分を分析せず、自分を知らないまま、恋の嵐の中でわけもわからず結婚してしまうこと。これは、あとあと後悔することになりがちです。

ただし、恋も結婚も、長い人生の中で見れば、人生のごく一部、パーツにすぎません。若い頃は、恋と結婚が人生の八～九割を占めるように錯覚しがちですが、そうではないのです。

結婚しない人生も、もちろんあります。それは、結婚しないことによって、また別の課題が与えられているのです。

結婚する人には、またそれぞれ、いろいろな苦労のバリエーションがあります。何もラブラブ状態のまま過ごすことだけが、価値あることではありません。そんな状態のままで人生を過ごせることは、まずないと思ったほうがいいでしょう。喧嘩をしたり、苦労をしたりすることが当たり前なのです。その中で磨かれる感性があり、培われる忍耐力があります。そのために、人は結婚するのです。

あなたの課題がいったい何なのか。今、独身の人も、結婚している人も、「結婚」というテーマを通して、もう一度、考えてみてください。

子どもを産むことは、たましいの「ボランティア」と考えましょう

今は、子どもを産まない女性も増えていますが、それでも大多数の人は、「結婚したら、一人か二人、子どもが欲しい」と思っているのではないでしょうか。なかなか子どもが授からなくて、苦しい不妊治療を続ける夫婦も多く見受けられます。

子どもを産み、育てるということは、神様へのボランティアです。

あの世には、「現世に生まれて、さまざまな経験を積みたい」と思っているたましいがたくさんいます。そのたましいが、この世に生まれてくるには、私たちのボランティアが必要なのです。

自然に「子どもが欲しい」と思ったときは、「ボランティアをしてもいいな」と思ったとき、ということです。

本来、子どもは神様からの預かりものです。決して親の私有物ではありません。

わかりやすくするためにあえていうと、盲導犬の子犬を育てるボランティアがあり

ます。子どもを産み、育てるということは、それと同じことだと考えてください。

盲導犬になるための子犬は、生まれてから一年ほど、普通の家庭で育ててもらいます。その間に、基本的なしつけをし、たっぷりと愛情をかけて、人間への信頼を培うのです。

人間の子どもも、産んで育てるのは、ある一定の年齢まで。その間に、親は一生分の愛情を注ぎ込んで、人間への愛と信頼を培うのです。

親が子どもの世話をやくのは、生まれてから十二〜十五年までと考えてください。あとは、経済的にカンパをすればいいだけ。十二〜十五年の間に、子どもは親の愛を受け、心の中に愛の電池を蓄えていくのです。

ただし、「子どもがいると寂しくないから」という理由で子どもが欲しいと思うのは問題です。子どもを使って、自分自身の愛の電池を蓄えようとしているからです。そうすると、どこかでゆがみが出てきます。

「自分の分身が欲しい」「遺伝子を残したい」というのも、愛情の電池が切れているから起きてくる気持ちです。

子どもは決して親のクローンではありません。漫画「巨人の星」では、星一徹が、自分の夢を息子の飛雄馬《ひゆうま》に託して野球の特訓をしましたが、そういうことは本来はしてはいけないのです。

子どもを産もうとするときは、あくまでもボランティアとして、この世に生まれてきたたましいのために体を貸してあげる、という意識でいるほうがいいのです。そこに私利私欲を入れてはいけません。子どもに過剰な期待をしないでください。

子どもが欲しいと思ったとき、自分の気持ちはどちらなのか。愛情の電池が切れているから欲しいのか、そうではなくて「私が何かをしてあげられる存在が欲しい」という自然で素直な気持ちなのか、それを確認してみましょう。

もし愛の電池が切れているなら、子どもを産むという方法ではなく、別の方法で充電することを考えてみてください。夫婦の関係を見直したり、人生を子ども以外で輝かせられるように、考え直すことが必要です。

そうではなく、愛の電池が満たされているから「そろそろ子どもを産みたい」と思ったなら、それはガイド・スピリットからのメッセージです。「そろそろボランティアができるようになりましたね」といわれているのです。

「子どもが欲しくない」「欲しくてたまらない」この二つの感情に隠された共通点

なかには「子どもは欲しくない」という人もいるでしょう。

それはボランティアをしたくないというだけですから、特別に問題はありません。子どもを持たないなら持たない人生もあります。そういう人には、子どもを持つこととは別の課題があるのです。

ただ、なぜ子どもが欲しくないのか、その理由ははっきりさせておいたほうがいいでしょう。

自分が子どもの頃に愛されずに育ったから、そのトラウマから「欲しくない」と思っているのか。自分自身がまだ十分大人になりきれていなくて、子どもを産み、育てる自信が持てないでいるのか。それとも、仕事に賭《か》けると決めているから、子どもはあきらめるのか。そういう分析は、きちんとしておくべきです。

結果として、子どもを持つか持たないかは別にして、「欲しくない」という気持ちを突きつめてトラウマを克服すること、それがその人の課題なのです。

反対に、「子どもが欲しくてたまらない」という人も、なぜそんなに欲しいのか、よく考えてみてください。

不妊治療をしても子どもが授からないということがわかった人は、テレビのコマーシャルで赤ちゃんを見るだけでも苦しくなるといいます。人の赤ちゃんを見ても憎いし、子どもの写真入りの年賀状が届くと破りたくなる、という場合もあるでしょう。

そう思ってしまうこと自体が、その人の課題であることが多いのです。

本当に子どもが好きだけれど持てなかった、というだけなら、人の赤ちゃんを見たとき、「かわいい」と思えるはずです。思えないとしたら、「子どもが持てない自分」が悲しいということです。「あの人は毛皮のコートを持っているけれど、私は持っていない」と嘆くのと、大差のない感情です。

子どもは、自分の人生を輝かせるためのアクセサリーではありません。

不妊に悩む人には、きつい言葉かもしれません。

けれど、強くこだわっていると、見えなくなることがあります。それが幸せを遠ざけることもあるのです。

8

あなたの体のウイークポイントは?

①自分の体の中で、好きなところはどこですか? 嫌いなところは?

②嫌いなところを好きになるために、何かしていますか?

③あなたは、おしゃれをすることが好きですか?

④体の中で、強い(健康な)ところ、弱い(不健康な)ところはどこですか?

⑤今までに、大きなケガや病気をしたことがありますか？

⑥お酒を飲むのは好きですか？

⑦好きな食べ物は何ですか？　嫌いな食べ物は何ですか？

⑧つい食べすぎてしまうほうですか？

⑨睡眠時間は何時間ですか？　何時間の睡眠がベストだと思いますか？

⑩お風呂に入るのが好きですか？　何分ぐらい入りますか？

私たちは自分の人生にぴったり合った容姿を選んで生まれてきています

自分の体の中には、好きなところと、嫌いなところがあると思います。

質問項目に答えることで、もう一度、自分の体の好きなところ、嫌いなところをじっくり観察してみてください。

そのときに覚えておいてほしいのは、私たちの容姿はすべて、生まれる前に自分で選んできたものだということです。生まれてくるときに、親や家族を自分で選んでくるのと同じです。

自分自身のたましいにぴったりの肉体を選んで、私たちは生まれてきます。

車にたとえていうと、荷物をたくさん積んで遠くまで走るために生まれてきた人は、トラックのような肉体を選んでくるし、すごいスピードで社会と戦って生きていくことが課題の人は、スポーツカーのような肉体を選んできます。

この世のすべてに偶然はありません。あなたが、今、その体で生きているということにも、必ず意味があるのです。ですから、体を見つめ直すことで、たましいのカリキュラムが改めてわかります。

もちろん、「私は、自分の体で嫌いなところなんてない」「あんまり容姿のことが気にならない」という人もいるでしょう。それは、気にしなくてもいいぐらいに、恵まれた容姿に生まれついているのかもしれません。それにも、意味があるのです。

そういう人は、その恵まれた容姿を人に見せることで、人を幸せな気持ちにするボランティア係だと思ってください。モデルになったり、俳優になることで、世の中を彩ることが、その人の使命なのです。

けれど多くの人は、自分の体のどこかが気に入らないのではないでしょうか。

「自分のここが気に入らない」と思う心の裏側には何があるのか、考えたことがありますか？　そこには自分や他人を蔑《さげす》む気持ちが潜んでいるのです。自分の体のどこかを嫌っていると、人に対しても、同じように嫌ったり、蔑んだりしがちです。たとえば顔が大きくて嫌だと思っている人は、自分の周囲にいる大きな顔の人に対しても、「嫌だ」「格好悪い」という気持ちが出てきます。

「私はどうしてこんな醜く生まれてしまったんだろう」などと悩む人がいますが、それは外面が醜いのではなく、自分や他人を蔑むその心が醜いのではないでしょうか。

今は、努力すれば、自分の体を美しくつくり変えることができる時代です。エステやダイエット、ヘアメイクなどを研究すれば、チャーミングになれるのです。

自分の容姿が気に入らないという人は、人一倍、自分の体を磨くための努力をしないといけない、そういうテーマを持って生まれてきたといえるでしょう。

それに気づいたら、きれいになるための努力をどんどんすればいいのです。

一番よくないのは、怠惰です。「どうせ私なんか」といじけて、何の努力もしないことです。怠惰な土地には、どんな花も咲きません。

容姿のどこかが気になって仕方がないという人は、気にする中から学びなさい、といわれているのです。何を学ぶか、考え方や心の持ち方を含めて、どう克服していくか。この本をきっかけに、一度じっくり考えてみましょう。

「魅力」は生まれつきのものではありません
自分でどんどん見つけていけるものです

特別に美人というわけでもないのに、なぜか魅力的な人がいます。同性異性を問わず人気があるという人が、あなたの周りにもいるはずです。

カウンセリングに来た相談者の例を紹介しましょう。

一人は、自分の髪の毛のことで、悩んでいました。剛毛で、しかもくせっ毛なのです。髪を洗ったあとは、ヤマアラシのようになってしまうので、友人と旅行に行くのも大変だといっていました。

けれど、彼女はそんな自分に悩んでいるうちに、同じように肉体的なことで苦労している人に対して、とてもやさしい目を持てるようになってきたのです。外見だけで人を判断しなくなり、人間的にとても成熟してきました。

やがて、自分のことも「仕方がない。これが私の個性だ」と受け入れられるようになったのです。そうなると、当然彼女のすばらしさに気づく人が現われます。素敵な恋人もできました。

自分の「欠点」と思える部分を受け入れるのは難しいことですが、不可能ではありません。時間をかけて努力をすれば、必ず受け入れられます。そうして自分を受け入れたとき、本当の美しさが備わり、思ってもいなかった幸せが訪れるのです。

もう一人はファッションデザイナーです。

彼女も、見た目は決して美人ではありません。けれど、独特の愛嬌《あいきょう》があるのです。

髪の毛は、チリチリにパーマをかけて、まるで雷様のようです。不思議なもので、先に紹介した彼女は、そんな髪が嫌でたまらないといっていましたが、あえてそんなヘアスタイルを選ぶ人もいるのです。自分のキャラクターがきわ立つように、そんな髪型にし、メイクもほとんどしません。けれど仕事で成功を収めつつあるし、友人からの人気も絶大です。

私は彼女を学生の頃から知っていますが、本当にチャーミングです。「自分の個性」を宿命として受け入れ、その上で「自分らしい」と思えるスタイルを選び取っているからです。

三人めは、体重が八〇キロ近くある女の子です。でも、本人はそんなことを気にしていません。「自分は自分」と割りきっているのです。「ま、私が痩《や》せたところで、たいしたことないからね」と豪快に笑いとばすタイプ。けれど、意外と繊細でこまやかな心遣いのできる、面倒見のいい人です。

彼女の相談は、好きな人のことでした。相手は二枚目タイプのいい男。カウンセリングに彼も連れてきたので、別々に相談を受けました。

ところが、聞いてみると、彼には別に好きな女の子がいたのです。私は彼女の気持ちを知っているので、「まいったな」とは思いましたが、仕方ありません。彼にはその恋を実らせるためのアドバイスをしました。

でも結果的にどうなったかというと、八〇キロの彼女は、彼と結婚したのです。なぜ彼を射止めることができたのか。それは、彼女が自分をよく理解していたからです。自分がモテないのは百も承知。だから、好きな彼にはひたすら尽くす。これが彼女の方法でした。尽くすといっても、涙ながらにしがみつくわけではありません。依存していたわけではないのです。押しつけがましくなく、こまめに世話をやいたり、さりげなくやさしさをアピールしているうちに、いつのまにか、「彼女がいないと、なんか不便だな」「寂しいな」と彼が思うようになったのです。

二人の結婚式では、皆が「なんで彼女なんかと」「思い直すなら、今からでも遅くない」などと笑いながらスピーチするし、花嫁本人もゲラゲラ笑っていました。でも、素敵なウエディング・ケーキは、彼女のお手製なのです。

彼女を見ていると、自分をよく理解できている人が幸せになれるのだということが、よくわかります。自分の長所は何で、短所は何か。短所を補うためには、どうすればいいか。特に、自分の欠点をカバーするための方法を必死で考えることがポイントだと思います。気配りでもいいし、話のおもしろさでもいい。努力すれば身につく魅力は、たくさんあります。

少しの欠点にこだわって、クヨクヨ悩むと、その欠点がさらに強調されます。自分をよく見つめ、欠点も理解して、たくましく前進するしか克服できないものです。

肉体から見えてくる自分の課題は何なのか、よく考えてください。自分のテーマを理解し、欠点を受け入れること。それができれば、ウイークポイントがチャームポイントになるのです。

私は自分の「ここが好き」「ここが嫌い」その答えでわかること

「私は自分のここが好き」という点がたくさんある人もいるでしょう。その場合も、ではなぜ好きなのか、というところまで考えましょう。

「格好いいから好き」という場合、自分は「格好いい」ということにこだわる人間なのだということがわかります。人からどう見られたいのか、という側面の分析ができるのです。そうやって自分を知るのも大切なことです。

反対に、「好きなところが一つもない」という場合、二つのケースが考えられます。

一つは「まあ、私なんてこんなもんじゃないかな」と思っている場合。

そういう人は、自分の一部にこだわらず、全体的なバランスで客観的に自分を見ているので、いいと思います。冷静な判断力があるという点を、自分の長所として考えてもいいでしょう。

一方、本当に「私の全部が嫌い」といっている場合。

これはわからず屋ということになってしまいます。全否定からは、何も生まれません。進歩も発展もないので、やがて病気を患うなどして、気づかされることになるかもしれません。

自分を好きになるのは、それほど難しいことではありません。好きなところがなければ、つくればいいのです。スポーツジムに通ってもいいし、エステに行ってもいい。「どうせ効果がない」とあきらめずに、自分に合うものを探して、勇気を出して挑戦してみましょう。そのとき、前向きな輝きが生まれて、あなたはきれいになれるのです。

「自分が嫌い」といっている人は、その「嫌い」という心から出るオーラが汚いのです。「きれいになりたい」と思ったとき、そこからはつらつとしたオーラが出ます。「きれいになりたい」と思った瞬間に、今までより確実に美しくなっているのです。

見た目を美しくしたいなら、まず内面を磨くこと　これが一番早く効きます

自分自身の内面を変えることで、容姿も必ず変わってきます。たましいの乗り物が肉体です。運転手によって、車の癖が変わるように、たましいの変化が、肉体にも現われるのです。

整形手術をしても、内面が変わらなければ、また次の不満が出てきます。ですから、整形だけに頼って美しくなろうとするのは無理があるのです。

整形を何度やっても気に入らないという人がいますが、そういう人は、気に入らないのは自分の体ではなく、内面だということに気づいていないのです。

また、年をとるにつれて、シワ、シミ、タルミが出てくるのは、当然のこと。それに対して、何も対策をとらず、手をこまぬいていればいいというつもりはありません。「きれいに年をとろう」と前向きに努力することは、すばらしいこと。若くありたいという心の張りが、美しいオーラを放つこともあります。さまざまな化粧品や美容法

を試すのもいいでしょう。

でもそのとき、シワがなければ美しいのか、ということも同時に考えてください。シワがあっても美しい顔はたくさんあります。

人間の顔には、その人の人生観が表われます。年をとればとるほど、自分の顔には責任を持たないといけません。顔に人格や生き方が表われるのです。それは、テレビで話題になる政治家の顔、タレントの顔を見れば一目瞭然です。

いい顔というのは、作為的につくろうとしても、つくりきれるものではないのです。エステ、ダイエット、ヘアメイク……。そういうものに挑戦して美しくなろうとするとき、その気持ちは美しいオーラを放ちます。

けれど、それで得られる表面的な美しさは、あくまでもアクセサリー。基本は内面なのです。車のボディにどんな装飾品をつけても、運転手が変わらない限り、走り方は変わりません。それと同じです。

車を改造したり、アクセサリーを楽しむのもいいでしょう。けれど、どんな走りをするかは、乗る人しだい。たましいが肉体の操縦士なのです。

おしゃれをしたくなったとき、
それは自分が変わるサインです

あなたは、おしゃれをすることが好きですか？　無性におしゃれをしたくなる時期はありませんか？

「季節が変わったから、洋服をたくさん新調しよう」と思ったり、メイクや髪型を変えたくなったりするとき、それはたましいの変化を表わしていることもあります。

「自分なんてたいしたことない」「どうせ何をやっても同じ」と思っているうちは、おしゃれをしようという気持ちにはならないでしょう。「おしゃれをしたい気分」になったということは、気持ちがポジティブに変化してきたということです。


今、自分が変化しているということを、はっきり意識してください。

ファッションや色の好みが変わってきたときも同じです。今までは、地味でおとなしい洋服を選んでいたけれど、少し明るい色を着たくなった。そういう自分の変化にも敏感になりましょう。

そういうときは、たましいが変化しているのです。オーラカラーも変わってきているはずです。似合う色やデザインも変わっていますから、意外な洋服が着こなせたりするのです。

それは新たな自分が始まりかけているということ。ですから、自信を持って新しいことにチャレンジしても大丈夫です。恋愛や結婚、就職など、何らかのジャンルで、今までと違う、いい流れが起こるでしょう。

新しい洋服が欲しいというような、何気ない心の動きの中にも、たましいのあり方が映し出されていることを忘れないでください。すると、自分の人生を自分で上手にコーディネートしていけるようになるはずです。

体の諸症状は、あなたへのこんなメッセージです

人の肉体というのは、とても神秘的なものです。

ちょっとした胃痛や発熱でも、それはスピリチュアルな世界からのメッセージです。

一般的には、ただ胃が弱いからとか、風邪をひいただけだと思われがちですが、実は、それらはすべて自分のたましいからの信号です。

くり返しますが、体の操縦士はたましいです。たましいがすべての基本。体は、たましいの乗り物です。自動車でも、たとえばブレーキが使いやすいとか、スピードに乗りやすいなど、運転手によって癖がつきます。体もそれと同じです。操縦士であるたましいの癖が、体に現われるのです。

ですから、自分自身の肉体を見ることで、たましいを見つめ直すことができるのです。

こう書くと、「そんなの迷信だ」とか「信じられない」と思う人がいると思います。

けれど、病院へ行って「胃が痛い」というと、「ストレスですね」と診察されることがあります。それには、「なるほど」と誰もが納得するでしょう。

しかし、なぜストレスがあると胃に症状が出るのか、科学的にわかって納得している人がどれだけいるでしょうか。なぜ、お医者さんが「ストレスですね」というと、なんとなく信じられて、スピリチュアルな考え方だと「迷信だ」と思ってしまうのでしょう。

科学的と思われることだけを信じていると、真実を見抜く目が曇ってしまいます。肉体の操縦士であるたましいの問題を解決しないと、いくら肉体をケアしたり薬を飲んだりしても、それは対症療法にすぎません。また別の形で、別の部分に症状が現われるでしょう。

ただし、病気やケガが致命傷になる場合は、たましいからのメッセージというより、「宿命」です。人には、あらかじめ決められた命の長さがありますから、それはここで取り上げる問題とは異なります。

自分でコントロールできる「運命」の部分で、もう一度、見直しを迫られているとき、それが体の諸症状となって現われるのです。

症状別《ガイド・スピリットからのメッセージ》

では、どういうメッセージが体のどこに現われるのか、スピリチュアルな視点で見ていきましょう。

頭が痛くなったり、頭の病気を患ったとき。

これは、基本的には、「頑固《がんこ》な考え方をもう一度、見直しなさい」といわれていることが多いのです。頭をどこかにぶつけてケガをするという場合も同じです。

目が痛くなったり、目を患う場合。

これは「注意深く物事を見ていますか？」というガイド・スピリットからの問いかけです。しっかり相手を見なさい、というメッセージです。

視力が落ちると、目を凝らさなければ対象物が見えません。人一倍、じっと見るようになります。慎重になりなさい、という意味合いもあります。
また、目は、親を含めて「目上の人」を表わす場合もあります。目に少し炎症が起きたりしたとき、「親を大事にしているかな」「目上の人に失礼なことをしなかったかな」と考えてみるといいでしょう。

耳のトラブルは、人のアドバイスを聞かなかったり、頑固になっていたりするときに現われることが多いです。不注意であることへの警告の場合もあります。

鼻のトラブルは、心が少しいじけているときに起こりやすくなります。心が後ろ向きになったり、ひがんでいたりするとき、鼻炎という症状になる場合があるのです。「鼻につく」という慣用句がありますが、相手の傲慢な行動に嫌気がさすときなどに使われます。ですから、傲慢になっているときも、鼻に症状が出やすいと考えてください。
外見にこだわりすぎているときや、虚栄心が強くなっているときも、同じです。最近急増している花粉症も、案外、人目を気にする人がかかっているようです。花粉症になると、人目を気にせず、鼻をかんだり、マスクをしたりしなくてはいけません。それが虚栄心にストップをかけることになるでしょう。

こういうと、花粉症の人からは「そんなことない」と反発されるかもしれませんが、全員がそうだといっているのではありません。

そういう場合が多いという話なので、自分にも思い当たる点がないかどうか、振り返る材料として考えてください。

口（舌や歯）、喉《のど》のトラブルは、言葉に気をつけたほうがいいですよ、というメッセージです。

人の悪口ばかりいっていたり、グチばかりこぼしていると、喉が痛くなったり、口内炎ができたりします。「口は禍《わざわ》いのもと」ということわざ通りなのです。

首を寝違えたりするのは、攻撃型の人によく見られます。すぐに人を批判する人は、首をケガしたり、むちうち症になりやすいのです。

肩こりがひどいときは、人から見られることを意識しすぎている場合が多いです。「肩を落とす」という慣用句があるように、肩には、心の張りや自信が表われるのです。「肩肘《かたひじ》張る」ともいいます。人から見られることを意識して、頑張りすぎていたり、人からの評価を気にしすぎている場合、肩にきます。また、肩は首と近いので、攻撃的に人を責めたり、評価したりしている場合も、凝ります。

女性に肩こりの人が多いのは、化粧やファッションなど、人から見られることが多いからでしょう。自分自身を等身大に見つめて、ナチュラルに生きていれば、肩こりは緩和されます。

呼吸器を患う場合は、嫉妬心が原因のことが多いです。心が狭くなって、相手を縛ろうとすると、キュッと気管が狭まって、気管支炎になりやすいのです。

嫉妬や焼きもちは、寂しさからくることが多いので、呼吸器のトラブルがあったときは、愛情の電池が切れているのではないかと、注意して振り返ってみてください。

関節のトラブルは、物事を四角四面にとらえる場合によく出ます。考え方に余裕がなかったり、柔軟性がない場合です。リウマチなどの病気も、生真面目《き》すぎる人がなりやすい傾向があるようです。

心臓を患うのは、自分自身に素直な生き方ができていない場合です。たとえば親のいうままに家業を継いだけれども、どうしても自分のやりたいことはほかにある。本来の自分が発揮できていない。そういうとき、心臓に症状が出る場合が多いのです。

胃や腸は、まさに神経です。「腹黒い」という言葉があるように、胃や腸は、いろいろな思いがたまりやすいところ。そのため、感情的な問題や、何かを思い詰めているようなとき、胃や腸のトラブルになって出てくることが多いのです。

肝臓、腎臓《じんぞう》、胆嚢《たんのう》は、怒りの臓器です。怒りっぽい人、短気な人は、ここにトラブルが起こりやすいのです。怒りと悲しみが交互にくる人は、膵臓《すいぞう》にきます。ただ怒るだけでなく、寂しがり屋だから、悲しくなってしまう人です。

婦人科系の臓器のトラブルは、直接的ですが、母性を忘れかけているときに、多く見られます。実際に子どもがいる、いないにかかわらず、人に対して、包み込むような気持ちが持てない場合です。

男性なら男性器や泌尿器系に、同じことがいえます。人に対してクールになりすぎているとき、たとえば膀胱炎《ぼうこうえん》になったりすることがあるのです。

冷え症も同じで、人に対して温かい気持ちが持てないとき、冷たい気持ちになることが多いときに、なりやすいようです。

痔は、強情を張りすぎて、頑張りすぎているときにかかりやすい病気です。自分が悪いとわかっていても、絶対に方針を変えない頑固さがあるとき。あるいは、少し人の気持ちに鈍感になっている場合もそうです。

また、「お尻に火がつく」という慣用句からわかるように、いつも「忙しい忙しい」

と力を入れすぎているときは、笑い話のようですが、痔《じ》になりやすいのです。

足腰のトラブルは、目下の人からの念による場合が多いです。目下の人、年下の人を、きちんといたわっていない場合やかわいがっていないときに、足腰にきやすいのです。

むくみは、不平不満をため込んでいる場合に起こります。ため込んで、外に出せないから、それが体のむくみとなって現われるのです。

ガンは、文字通り頑固な人がかかりやすい病気といえるでしょう。

ここであげたような症状が出た人全員に、必ずそういう傾向があるわけではありません。人間にはそれぞれ弱いポイントがあります。それが、現世に生まれてきた意味であり、課題でもあるのです。

あなたが質問項目に答える中で、ここにあげた症状のどれかにあてはまることがあったとしましょう。たとえば喉が弱いとします。これは「口は禍いのもと」という言葉を肝に銘じて、上手に言葉を使いながら、人とつきあっていきなさい、といわれているのかもしれません。そこに、あなたの課題があるのです。

関節が弱いという人は、「私は頑固なところがある。この頑固さを直すために生きているんだな」というふうに、気づくきっかけの一つにしてください。

自分のたましいの癖が、あまりに過剰にいきすぎると、体にその症状が出て、「ダメだよ、気をつけなさい」といってくれているのです。病気になったり、ケガをしたりしたときは、本当に痛かったり苦しかったりします。でも、その中で、自分自身のたましいの課題を見つめ直すこともできるし、本当の自分を知ることもできます。だから、病気やケガには感謝をしてもいいぐらいなのです。

あとで大きな病気へ発展する前に、たましいが発するメッセージに耳を傾け、自分自身の課題に気づいてください。そうすれば、本当に健康になれます。本当に健やかな体になりたいなら、自分自身の心を変えなければいけないのです。一時的な対症療法で、一つの症状を抑えるだけでは、本当の健康は手に入りません。

たましいの声に気づくこと。そのとき初めて、本物の癒しが訪れるのです。

つい、食べすぎる、飲みすぎる それにはこんな理由があるのです

つい食べすぎた、つい飲みすぎた、ということが続くときがありませんか？

食べすぎることが多いという人は、人の想念に敏感な憑依《ひょうい》体質であるということが、まずいえます。盛り場などに充満している人々の「食べたい」「飲みたい」という気持ちに敏感に反応して、自分も食べたくなってしまうのです。

また、ストレスが原因になることも多いようです。クヨクヨと思い悩むことが多いと、愛の電池が涸《か》れてきます。すると、本当は愛が欲しいのに、間違って食べ物のほうに手が伸びてしまうのです。

反対に食べたくないという場合も、原因は愛の電池の欠如です。食べ物を拒むというのは、人を拒むこと。人を信じていないということです。つまり、「私は愛の電池を充電できない」とあきらめていると、食べ物を拒むようになります。

食べすぎてしまったり、食べられなくなったりする原因をまず考えることが大切で

す。たましいの飢餓感が、肉体を蝕《むしば》むのです。自分が本当に欲しいものは何なのかをもう一度考えてみてください。

お酒を飲みすぎる場合も同じです。お酒に強くて、毎晩飲んでいるという人は、だいたいが寂しがり屋です。

ときどき飲むお酒は、気分転換にもなるし、気分を高揚させてくれる、いいものです。けれど、お酒がないと生きていけない、一日も手放せない、ということになると、話は違います。過食や拒食と同じ問題が、そこには潜んでいるのです。

食べる食べない、飲む飲まないは、表面的なこと。その奥にあるたましいの孤独、飢餓感に気づいてください。同時に、自分の周囲にある愛に気づく感性も大切です。本当はそこにあるのに、見えていないだけのことが多いのです。

あなたが生まれたとき、おしめを替えてくれた人がいます。ご飯を食べさせてくれた人がいます。道を尋ねたときに親切に教えてくれた見知らぬ人にも、あなたへの愛はあったはずです。それは一〇〇パーセントの愛ではなかったかもしれません。非常にささやかな、一〇パーセントぐらいの愛かもしれません。それでも、愛は愛です。

それに気づくことが、たましいの飢餓感を癒す第一歩です。

体は〝たましいの乗り物〟人生をスムーズに運転するためにケアとメンテナンスが必要です

「温泉に行って、のんびりしたい」とか、「サウナに入って、すっきりしたい」と思うとき、それもガイド・スピリットからのメッセージです。

人の体内には、エクトプラズムと呼ばれる生体エネルギーがあります。健康なときは、透明に近い白いエクトプラズムが体内からたちのぼっているのが霊視できます。けれど、疲れたり、ストレスがたまってくると、このエネルギーがどす黒く汚れて、体内に滞るようになるのです。

それを吐き出さないと、もとの健康体には戻れません。

ですから、温泉やサウナ、エステやマッサージに行きたくなるのです。家のお風呂で、ゆったりと長風呂をしたくなるかもしれません。

そういうときの自分の体の感覚を、ぜひ覚えておいてください。そして、その気持ちに素直になって、温泉やサウナで汗を流しましょう。

そうすれば、疲れすぎて倒れてしまうということは避けられます。

「温泉へ行きたい」という気持ちがあっても、「今は忙しいから無理」と我慢していると、やがて蓄積疲労で倒れることになりかねません。

体の声に耳をすましまして、たとえ一泊でもパッと温泉へ出かけたり、自宅のお風呂でリラックスする時間を意識的にとったりしてください。

汚れたエクトプラズムを毛穴から発散させないと、いきいきとした毎日を過ごせません。エネルギーが充填《じゅうてん》されないからです。当然、体や頭の働きが鈍くなり、波長も悪くなるので、ツキも逃げていくでしょう。

日常的にも、バス・タイムというのは、とても大切です。

お風呂好きな人は、自然に汚れたエクトプラズムを吐き出せるので、体も心も比較的、健やかに保てます。でも、「お風呂が嫌い」「いつもカラスの行水《ぎょうずい》」という人は、気をつけましょう。

「たかがお風呂」とあなどらず、どんなに忙しくてもゆったり湯船につかり、体を休めることを習慣にしてください。大病を患ったり、入院したりすると、お金も時間もかかります。そうなることを思えば、毎日のバス・タイムを充実させることぐらい簡単です。

また、温泉に限らず、「旅行に行きたい」と思うときも同じです。仕事がすごく乗っていて、うまく運んでいるとき、人はあまり「旅行に行きたい」とは思いません。「どこかに旅行に行きたい」と思うのは、いつも気持ちが張り詰めていて、もう少しでプチッと切れてしまうかもしれない、というサインです。

そういうときは、にぎやかな都会よりも、自然に囲まれた静かな場所へ旅行に行ってください。体と心を休め、自分自身を見つめ直す時間を持ちましょう。意外なほどストレスが消え、リフレッシュできるはずです。

忙しいからといって「旅行に行きたい」という気持ちを我慢していると、たましいが悲鳴をあげはじめます。ギブアップしてしまうのです。

そうなる前に、無理をしてでも時間をつくってください。

体はたましいの大切な乗り物です。ていねいなケアとメンテナンスが必要なのです。

睡眠時間は〝たましい〟の作戦タイム
眠いときは我慢しないでぐっすり眠りましょう

「高校時代は、なんだか無性に眠かった」と書かれた作家のエッセイを読んだことがあります。人は、ある時期、やたらと眠たくなることがあるのです。

それは、人生の中で「節目」となる時期です。運気の流れが大きく変わるとき、自分が大きく変わる前に、無性に眠くなるのです。何時間も眠り続けたりします。

それは、ガイド・スピリットから「準備をしなさいよ」といわれているのだと考えてください。

あなたにも、過去にそういうことがなかったか、振り返ってみてください。その時期のあとで、大きな転機があったことに気がつくでしょう。職場が変わったり、つきあう人が変わったりしませんでしたか？

そういう経験を思い出せば、今度、同じように無性に眠い時期がきたとき、その意味がわかります。「ああ、何かが変わろうとしている、その前ぶれなんだ」と思って、心の準備をすることができるでしょう。

睡眠は、たましいが故郷であるスピリチュアル・ワールドに戻って、作戦を練っている時間です。たましいにエネルギーが充填されていると考えてください。ですから、入浴や食事と同様に大切です。

人によってベストな睡眠時間は違いますが、スピリチュアル・ワールドの門が開きやすい午前一時から二時の時間帯には眠っているほうがいいでしょう。週に一度は、午前〇時になる前に就寝したいものです。

仕事や勉強でストレスがたまると、それも眠気につながります。無理に起きていても、インスピレーションはわきません。効率的な作業はできないので、眠いときには眠るのが一番です。

無理をせずに、ゆっくりお風呂に入って、ぐっすりと眠る。そうすると、たましいにエネルギーが満ちてきて、またいい仕事ができるようになるのです。

9

あなたは、どんなお金の使い方をする？

①あなたは、お金がどれぐらいあれば満足ですか？

②宝くじが当たったら、何に使いたいですか？

③お金が理由で、人を妬《ねた》んだことがありますか？

④お金が理由で、みじめな思いをしたことがありますか？

⑤友人からお金を借りたことがありますか？

⑥あなたは、買い物が好きですか？

⑦買い物依存になりやすいタイプだと思いますか？

⑧今までにした最大の無駄遣いは何ですか？

⑨今までで、もっとも上手な買い物は何ですか？

⑩あなたにとって、お金とは何ですか？

お金はあなたに何を教えてくれるのでしょうか？

「もっとたくさんお給料があればいいのに」とか、「あの子は、家がお金持ちだからうらやましい」など、誰もがお金に関していろいろな思いを抱きます。

けれど、「お金とはいったいどういうものか」という定義について、深く考えている人は案外少ないのではないでしょうか。

お金と上手につきあうためには、まず「お金とは何か」という基本的な定義をしっかりと持つことが大切です。

スピリチュアリズムでは、お金とはこの世で学ぶためのドリルの一つと考えます。その中でも、基本的な、誰もが学ぶ国語の教科書のようなものです。お金に関わらずに生きていける人は、ほとんどいません。皆が経験する基本的なレッスン材料なのです。

特に自分が「お金のことで悩みやすい」と思う人は、お金という素材を使って学ぶべき課題を持って生まれてきている、と考えてください。

お金自体は、いいも悪いもありません。ただ、そこにさまざまな人の念、憎悪や嫉妬、妬み、願望などが込められることが多いというだけです。お金そのものは、ただの道具。「たかがお金」と考えていいのです。

「お金がない」といってひがんだり、お金のある人をうらやむのは、お金に振り回されているということです。反対に「お金のことを考えるなんて意地汚い」と思ってしまうのも、同じように、お金の扱いが下手な人だといえます。

お金に振り回されない人、お金の扱いがうまい人は、お金のことをいいとも悪いとも思いません。

あればあったでうれしいし、なければないで幸せ。そう思えるのです。

こういう人は、お金という現世の課題をクリアできているといっていいでしょう。

多くの人は、「お金があると幸せ、ないと不幸」と思いがちです。でも、それもお金の定義を深く考えないまま、お金に振り回されているからです。

「お金なんかなくてもいい」とか「どうでもいい」ということではありません。お金をどう生かすか。どう利用するか。それが大切なのです。

一番いけないのは、「お金とは何か」という定義を考えず、自分なりの哲学も持たずに、「お金があると幸せなはず」と思い込んで、貯金をふやすことだけに懸命になったり、逆に「お金なんて汚い」と思い込んで、お金に罪悪感を持ったりすることです。

あなた自身にとって、お金とは何か。何をするためのものか。いくらあれば、自分は幸せなのか。そういったことを、一度、深く考えてみてください。それが、お金と上手につきあう第一歩です。

お金は人生を学ぶ一つのドリル
——自分自身を磨く大切なものです

お金の貸し借りをすることは、単に「お金」のやりとりをすることではありません。そこには人間関係の問題がからんできます。

貸したのに返ってこなかった場合、「ひどい人だ」と相手を責めたくなるでしょう。けれど、その前にもう一度、なぜ貸したのか、自分自身を振り返ってみてください。

そのときの相手の状況を、本当に見抜いていたでしょうか。

「情にほだされて、お金を貸した」ということがあってもいいと思います。相手が本当に困っていると判断したから、「ほだされた」のでしょう。けれど、本当に困っていて助けを求めた人なら、なんとかして返そうと努力します。だからそういう場合は、必ず返ってくるのです。返ってこなかったということは、相手が本当には困っていなかったか、簡単に借りられると思って甘えていたか、どちらかです。

そう考えると、「相手を見る目がなかった自分」が見えてくるのではないでしょうか。では、貸したほうが悪いのかというと、そう簡単ではありません。貸し借りの中で自分が見え、相手が見え、人間関係が見えてきた。つまり貴重な学びができたということです。お金は、そんなふうに、自分自身を磨いてくれているのです。

たとえ少額でも、借りたまま返さなかったことがあるという人は、お金に対する考え方がいい加減だということです。それは自覚してください。

そういう行為はカルマになりますから、別の場面では、人に裏切られるという形で自分にはね返ってくるのです。

お金は、この世における基本的なドリルの一つだということが、貸し借りの例ひとつとっても、よくわかります。

あなたは今までに、どんなお金のやりとりを誰として、その中から、何を学んできましたか？　それがはっきりしたとき、お金についてモヤモヤと考えていたことが、一つすっきりするはずです。

何に使うかで価値が決まる
——目的があれば、必要なお金は必ず集まってきます

貯金通帳を眺めてため息をつく。少ないなあ、もっと貯まらないかなあと思う。そんなとき、自分の心に聞いてみてください。

お金を貯めるのは、何のためですか？

お金は、たましいが学ぶために必要な道具。いいかえれば、トレーニングマシーンです。ですから、マシーンばかり増やしても、意味はありません。

そのお金を使って何をするのか。どんな学びを得るのか。そこがポイントなのです。

お金を貯めるのは、実は簡単です。強く念じればいいのです。「私は必ず、これだけのお金を稼ぐ」という強い気持ちを持つこと。その金額はできるだけ具体的にしましょう。そして何より、そのお金の使い道を必ず考えてください。そうすれば、お金は必ず貯まります。

貯まらないときは、使い道を考えていないときです。貯金をすることが目的になっ

てしまってはいけません。貯金通帳の金額がふえたからといって、決して人は幸せにはなれません。当たり前のことのようですが、これがわかっていない人が多いのです。

たとえば、「私は一千万円、貯めたい。一千万円あれば幸せ」という人がいたとします。では、その一千万円で何をするのでしょう。ブランド品を買う。それもいいですが、一億円では足りません。ブランド品は、次々と新作が出ます。買っても買ってもキリがないのです。いくら買っても飢餓感が増すばかりで、本当の幸せにはつながりません。

一方、「家を建てたい」という目的の場合。これは成り立つと思います。家を建てて、そこで家族と幸せに暮らしたい。そういう目的があって、方法をきちんと考えれば、実現します。一〇〇万円貯めて、両親を海外旅行に連れていきたいというケースも同じです。

つまり、貯めたお金で何をするのか。何をすれば、自分は幸せになれるのか。そこまできちんと考えていただきたいのです。そうすれば、必要な金額は貯まります。必要な努力ができるようになるからです。

お金の価値は、「何に使いたいか」という目的によって変わります。

たとえば一〇億円で事業を始めたいと思っている人の場合、一億円あっても、まだまだ足りないと思うでしょう。気持ちの上では、その人は自分をお金持ちだとは見なしていません。「まだまだ足りない」と思うでしょう。

一方、二千円のカツ丼を食べることが最高の幸せ、それさえあれば、ほかはいらないという人は、二千円のカツ丼が食べられるだけを稼げば、それでリッチな気持ちになれるのです。それはそれでＯＫだと思います。

ですから、お金を持っていればお金持ちで、持っていなければ貧乏、というような単純な判断はできません。

持っていても、持っていなくてもいいのです。

一番いけないのは、目的がないこと。自分が何にお金を使えば幸せになるか、わかっていないことです。まず、それをはっきりさせましょう。そして、強く念じれば、必要なお金はおのずと貯まっていくはずです。

ただし、そのとき「お金は汚いものだ」とか「お金のことを考えるのはよくない」という念が入ってはいけません。

お金持ちを見ると「成り金のくせに」と蔑み、貧乏な人を「すがすがしい」とする風潮が、まだ日本にはありますが、そんな単純なものではないのです。一生懸命、努力してお金持ちになった人は汚くもなんともないし、怠惰から貧乏でいる人は、美しくもなんともありません。

「お金持ちは汚い」と思ってしまうのは、自分にお金がないことに対して、卑屈な気持ちがあるからではないでしょうか。卑屈な思いがあるうちは、決して豊かにはなれません。お金というテーマから離れられないまま、お金に踊らされてしまいます。

卑屈になったり、妬んだり、苦しんだりする必要はないのです。たかがお金。ないから不幸なわけではないし、あるから偉いというわけでもありません。

ただ、お金という道具の使い方がうまい人と下手な人がいる。そのことは、心にとめておきましょう。

お金は入ったら流していく　リズムを崩すと人生も停滞していきます

人におごってもらうのが嫌いという人は少ないでしょう。なかには、支払いの段階になると、いつも姿を消してしまう、という人もいるかもしれません。あるいは、タダでもらえる景品や、デパートの試食コーナーが大好き、という人もいます。

笑ってすませられる範囲ならいいのですが、それでも、人に何かしてもらって返さないという行為は、カルマの一つになります。

たとえタダでもらったものにしても、それは誰かが何かの努力をして、形になったものです。お金もかかっています。それに対して対価を支払わないと、いつか別の形での支出が増えることになります。

タダでご馳《ち》走《そう》になると、その場は「ラッキー」と思うかもしれませんが、必ず別の形でお返しをするようにしたほうがいいでしょう。感謝の言葉でもいいし、小さなプレゼントでもかまいません。

ギャンブルなどで、大金を手にした場合も同じです。「ラクして得た」というカルマがついてくるのです。そういう、いわゆる「あぶく銭」は絶対に身につきません。

お金には、多くの人の念がこもっています。そもそもお金は「必要悪」です。お金が一方的に入りすぎると、それに付随するゴミのほうが多くなってしまいます。

成り金といわれる人でも、お金についての哲学をしっかりと持ち、努力して儲《もう》けた分を、さまざまな形で人や社会に還元している人は、お金をあとに残しています。

お金は入ったら流していく、ということが大切です。入るばかりで、安穏としていてはいけません。水と同じで、「たまると濁る」という性質がお金にはあるのです。

タダで得をしたと思った場合、意外な収入があった場合、必ず何かの形で返しましょう。別の友人にご馳走してもいいし、ＮＰＯ（民間非営利団体）などに寄付してもいいでしょう。

入ってきたお金に対しては、つねに浄化をするという気持ちを忘れないでください。もらう、払う、この二つのバランスをとることが大切なのです。

あなたの労働の値段はいくら？
それは人生に必要な"計算"です

あなたは、自分が月々もらうお給料に満足していますか？

ここで、一度、こういう問いかけを自分にしてみてください。

「今月、自分が働いた分で、会社はいくらの利益をあげただろう」

この視点で、自分のお給料を判断してみるのです。

「私は、会社に対して、お給料以上の利益を与えている」と思った人は、真剣に転職を考えましょう。あなたの労力をもっと高く買ってくれる会社があるかもしれません。

けれど、会社に対する利益が計算できなかったり、かなり少ないんじゃないかと思う場合、自分の心の中に「お給料はもらって当たり前」という考え方がなかったかどうか、振り返ってみましょう。

会社は学校とは違います。学校なら、たとえ勉強しなくても、皆同じように授業を受けられます。会社もそれと同じ気分で、「給料をもらって当たり前」と考えている人が、今でも多いように思います。

野球選手を見てください。自分の成績、チームへの貢献率で、年俸が決まります。ある一定の経験と能力を持った人は、フリーエージェント制で、自由に移籍が認められます。そのとき、自分の能力に合わせて、年俸を交渉するわけです。相手が評価してくれるだけの能力がある、という自信がないと、怖くてこの制度は使えません。

これからは、会社員も同じ覚悟でいるほうがいいのではないでしょうか。

自分は、どれぐらいの能力があるのか。どの程度、会社に貢献しているのか。自分の能力に見合ったお給料はいくらぐらいなのか。

経営者になったつもりで、自分の仕事力に値段をつけてみてください。

謙虚になりすぎる必要はありません。けれど、傲慢になってもいけません。冷静に客観的に判断してみてください。

それがはっきりすれば、自分のとるべき道がわかります。もっといいサラリーを求めて転職するもよし、今の会社にとどまって、仕事の能力を磨くもよし、道が見えている分、今までのような漠然とした不満はなくなるはずです。

どんなにお金があっても「心」が満たされないといつまでも不安がつきまといます

ある程度の年齢になると、老後のことが心配だから、お金を貯めるという人が出てきます。確かに年をとって、収入がなくなったあと、どんな生活をするかと考えたとき、お金は今まで以上に大事に思えてくるでしょう。

けれどお金をたくさん持っていれば、本当に老後は安心ですか？

下手にお金を持っていると、人は人を大事にしなくなります。お金で老後のケアが買えると思ってしまうからです。

「私は貯金もそんなに持っていないし、頼りになる家族もいない」という人の話を聞くと、「だから私は友だちを大切にするのよ」といいます。

最終的に頼りになるのは、お金ではなく、人です。

それが無意識にでもわかっているから、皆どんなにお金を貯めていても、不安が残ってしまうのです。

お金は、しょせんお金です。ないならないで、できるところまで自分の力で暮らし、いよいよ無理になったら福祉の世話になり、ギリギリのケアだけしてもらって死んでいく。そういう道もあると、私は思っています。

老後の不安のために、お金を貯めるのもいいでしょう。でも、それだけでは問題は解決しません。人とのつながりを大切にして、心のケアもできるように気をつけておきましょう。

お金と心。両方の車輪がうまく回ったとき、初めて人は安心を得られるのです。

気をつけてください
愛が足りなくなると、人間は「誤作動」を起こします

「買い物に行く」というだけでワクワクする人は多いでしょう。新しい洋服、靴、バッグが美しくディスプレイされたショーウィンドウは、見るだけでも楽しいものです。

買い物が好きということ自体は、悪いことではありません。

ただ、必要以上に買ってしまったり、お金に余裕がないのに、高価なものをカードで買ってしまう、という場合は注意が必要です。買い物依存症の一歩手前だと考えていいでしょう。

買い物依存症とは、買い物をしているときだけ充実感があり、どうしても買わずにいられないという症状です。病的になると、カード破産、家庭崩壊につながるケースもあります。

これは、実は愛の電池が足りないことが原因です。

愛が足りなくなると、人は誤作動します。本当に欲しいのは愛なのに、物で補おう

としてしまう。子どもの指しゃぶりと同じです。本当は親に愛されたいのに、それをうまく表現できなくて、指をしゃぶるのです。

買い物依存症の人は、ものを買うことで安心し、満足します。でもそれは錯覚です。店を一歩出ると、「どうしてまた買っちゃったんだろう」と激しい後悔に襲われます。わかっていても、また買ってしまうのです。

ものを買っていると、店員さんがやさしく話しかけてくれるからです。いつも高価なものを買う人は上客ですから、お世辞もいってくれるでしょう。

「お似合いですね」「こんなに着こなせる人は珍しいんですよ」

そういう甘い言葉が聞けて、楽しいコミュニケーションができる。その虜になってしまうのです。

いいかえれば、日常生活の中に、やさしいふれあいがないということです。お金を介在させるときだけ、楽しく人と話ができる。だからつい店に行って買ってしまう。

無性に買い物がしたい気持ちになったときは、まず自分の中の愛の電池を確認することです。そして電池が足りないと感じたら、自分の周囲の人との関係を充実させてください。愛の電池を蓄えてくれるのは、物ではなく、人です。

店員さんの「お似合いですね」という言葉や笑顔は、たとえていうならデパ地下の試食品です。それだけでお腹《なか》をいっぱいにしようと思っても無理なのです。

試食のつまみ食いではなく、きちんとしたディナーをとりましょう。

周囲にいる家族、友だち、恋人との関係をきちんと見つめ直し、そこで愛を育てるように努力してみてください。努力するのは苦しいことです。傷つくこともあるでしょう。傷つけたり、傷つけられたり、それが面倒だからといって、試食で我慢していると、いつまでたっても空腹感は癒されません。本当に求めるものは得られないのです。

傷つくこと、傷つけられることを恐れずに、面倒がらずに、「日常」の人間関係を大切にしてください。その中で、きっとお金では買えないものが手に入るはずです。表面的ではない、本物の笑顔に出会えるはずです。

常識的で古い考え方かもしれませんが、愛情は決してお金では買えないのです。

part2

スピリットと変えていく「あなたの明日」

《夢を現実に変えるヒント》

やってみたいこと年表――あなたの夢は何ですか？

三年後、五年後、十年後……、あなたはどんな自分になりたいですか？

そのための歩みを、項目ごとに考えてみましょう。

書き込む夢は毎年変わるかもしれません。それでもいいのです。今、あなたが考える夢、今、あなたが考える未来の自分、それを書き込んでみてください。

そして毎年、自分の本当の姿と、自分がそうでありたい未来を見つめ直しながら、少しずつ軌道修正していきましょう。

「こんなこと、どうせ無理」と考えていては、実現できるものもできなくなります。

一〇〇パーセント不可能なことを夢みても仕方がありませんが、「自分にはちょっと難しいかな」と思えることでも、頑張って夢みてください。少し努力すれば手に入る、実現性の高い夢を、具体的に思い描くことが大切です。

夢を追いかけること。なりたい自分をはっきりとイメージすること、それが強い

「思い」となって、夢を現実に引きよせるのです。「思い」の力を決して軽く考えないでください。

まず、あなたが何を夢みているのか、どんな幸せを得たいと思っているのか。それをはっきりさせましょう。

それを知ることが、夢を叶える第一歩なのです。

そのために、次の質問に、できるだけ具体的に答えてください。

最後に死について尋ねる項目がありますが、これも大切なことです。死を考えることで、今の人生を大切にしようという気持ちが生まれてくるからです。あとどれぐらい生きたいのかを考えれば、今の健康状態へのチェックも厳しくできるでしょう。

もちろん、その通りになるとは限りません。「今、考える理想の老後」「今、考える理想の死に方」でいいのです。

イメージがはっきりしたら、それを未来年表の中にあてはめて書き込んでください。あなたの未来が、くっきりと見えてくるはずです。

では、次のことについて、自分の心の中を正直に書き出してみましょう。

Question 1

自分が住む家のこと

●どこに、誰と住みたいですか？

●どんな家に住みたいですか？

（広さ、間取り、価格、雰囲気、インテリアなど）

Question 2

やってみたい（続けていきたい）仕事のこと

●何の仕事をしていますか？

●その仕事で、いつまでに、どんな目標を達成しますか？
（どれぐらいのお金を稼いでいますか？）

Question 3

理想の結婚のこと

●いつ結婚しますか？　どんな相手と？

（年齢、性格、仕事、収入）

●二人でどんな家庭をつくりますか？

●子どもを産みますか？　男の子？　女の子？　それぞれ何人ぐらい？

●どんなお母さん（お父さん）になりたいですか？

Question 4

生きがいや趣味、楽しみにしたいこと

●行ってみたい場所はありますか？
（そこで、何をしますか？）

●一生続けていきたいものは何ですか？

●一番の楽しみは何ですか？

（具体的に）

●より快適に過ごすために絶対必要なものは？

Question 5

自分が死を迎えるときのこと

●いつ、どこで死を迎えたいですか？

●最期に会いたい人は誰ですか？

●最期に食べたいものは？

●最期にいいたい言葉は？

《あなたの未来年表の作り方》――夢を叶える方法がわかる！

「こんなことを、いつまでに、どういう形で実現させて、どんなふうになっている」ということを220ページからの表に具体的に書き込みます。やってみたいことがたくさんある人は、コピーしてどんどん書き込みましょう。

自分のためのものですから、正直に書いてみましょう。

たとえば、家を購入したいなら、お金を毎年いくら貯めれば買えるか。物件探しのために、どういうリサーチをすればいいか。

結婚なら、理想の相手と出会うために、何をすればいいか。

どんな自分であればいいか。

死に方では、その年まで健康に過ごすために、どんな食事が必要なのか。

そう考えていくと「自分に合う健康法を探す」「人間ドックに入る」など、いろいろなことが出てくると思います。

自分なりに、夢を叶える手段をじっくりと考えてみましょう。

書き込んだものを時系列に並べれば、あなたの未来年表になります。

それをながめるだけでもワクワクしてきませんか？

まず夢を描くこと、次にそれを時間軸にそってまとめること、最後に夢の実現のための方法を、具体的に計画すること。

この三段階の書き込みを、きちんとするとしないでは、未来が確実に違ってきます。

最初は、空白がたくさんあってもかまいません。けれど、少しずつ空白を埋めていきましょう。この未来予想図は、その通りではなくても、それに近い幸せを必ず連れてきます。そういう不思議な力を持つ予想図なのです。

幸せは、誰かが運んでくれるものではありません。夢は、ただ漠然と見るものではありません。きちんと計画し、努力して、自分で叶えていくものです。

やってみたいこと

いつまでに？

叶える方法は？

1

2

3

4

5

達成後の自分はどんな感じ？

やってみたいこと

いつまでに？

叶える方法は？

1

2

3

4

5

達成後の自分はどんな感じ？

やってみたいこと

いつまでに？

叶える方法は？

1

2

3

4

5

達成後の自分はどんな感じ？

やってみたいこと

いつまでに？

叶える方法は？

1
2
3
4
5

達成後の自分はどんな感じ？

「今日」が未来への第一歩
——運を強くする毎日の過ごし方

未来を夢みるためには、「今日」が大切です。今日が、何年後かへ向けての第一歩です。

この項からは、夢を叶えて幸せになるために、今日をどう過ごせばいいか。ポイントをまとめています。

《第一のステップ》

まず、過去に縛られないこと。これが大切です。

この本で自分を振り返ると、嫌なこと、苦しいことがさまざまあったことを思い出したかもしれません。けれど、それに縛られないでください。

私たちがなぜ現世に生まれてきたのか、もう一度、思い出しましょう。

私たちは、経験を積むために生まれてきました。楽しいこと、成功することだけが経験ではありません。泣くこと、苦しむこと、失敗すること、恥ずかしい思いをすること。すべてが経験です。その経験が、私たちのたましいを磨いてくれます。そのために、私たちは生まれてきたのです。

過去のどの経験も、一つとしていらないものはありません。たとえあなたが「忘れてしまいたい」と思うようなことでも、すべてたましいの成長のために必要な経験だったのです。

すべての経験は「恩恵」です。それによって、あなたのたましいの経験値が上がっているのです。それに対して感謝の気持ちを忘れないようにしてください。

苦しい経験、悲しい経験に感謝をするということは、なかなかできないかもしれません。けれど、この考え方を心のどこかにとめておきましょう。

この世で起こる幸と不幸はすべて表裏一体です。深く傷ついて、これ以上の不幸はないと思っても、裏を返せば、それはその分、たましいが強く輝くチャンスなのです。自分自身が大きくなれるチャンスだということです。

それに気づけば、過去の呪縛《じゅばく》から解き放たれます。夢に一歩、近づけるのです。

《第二のステップ》

このノートに書き込むうちに、一つひとつの出来事が何を意味していたのか、何を学ぶためのものだったのか、考える時間ができたと思います。なかには、「私って、何度も同じことをくり返してる」ということがあったかもしれません。

それこそ、あなたの人生のテーマです。

同じことをくり返すのは、そのことに気づいていないからです。だから「これでもまだわかりませんか？」という意味で、同じようなことが起こるのです。

自分のテーマ、克服すべき課題に気づいたとき、このくり返しは終わります。そしてまた次のテーマが示されるのです。

ですから、過去を振り返って、失敗や過ちのバリエーションが変わってきているとすれば、それはあなたが成長しているということです。

過去を振り返り、本当の自分を見つめることは、つらいことかもしれません。グロテスクな自分を見る場合もあるでしょう。けれど、逃げずに見つめてみましょう。それをしないと、いつまでたっても、同じことで苦しむことになりかねません。

「嫌なことは忘れたい」と、人はよくいいます。けれど、嫌なことを忘れるなんて、記憶喪失にでもならない限り、できません。

けれど、その意味を理解することはできます。

なぜ自分にそれが起こったのか、何を教えられているのか、それを理解したとき、「嫌なこと」は、少しずつ消えていくのです。くり返しも避けられます。

恐れずに自分の姿を見つめること。そしてその中から自分のテーマに気づくこと。

それが、夢への第二ステップです。

《第三のステップ》

あなたの人生には、これからもまた、さまざまな出来事が起こるでしょう。その出来事の意味をきちんと理解し、いい循環をつくること。これが三つめのポイントです。

この世に偶然はありません。すべての事柄には理由があり、意味があるのです。

成功したときは、成功する理由があります。失敗したときには、失敗する理由があります。単純に、ツキがあったから成功して夢が叶った、なかったから失敗して夢が叶わなかった、ということではありません。

失敗したり、うまくいかなかったりするには、必ず理由があります。

たとえば、ガイド・スピリットから「今はまだその時期ではありませんよ」といわれている場合、「方法が間違っていますよ」と教えてもらっている場合、「自分のたましいにふさわしくないことをしていませんか？」と問われている場合もあるでしょう。

もちろん、基本的には、自分が努力しているかいないか、という問題があります。夢に向かって、前向きに努力をしているのに、それでもうまくいかないというときは、その原因は何なのか、ガイド・スピリットの声に耳をすまして、きちんと見極めることが必要です。

その上で、進む方向を選びましょう。

「今はその時期ではない」といわれているんだな、とわかれば、焦ったり、ゴリ押ししようとはしなくなります。今、目の前の結果だけに一喜一憂するのではなく、視野を広く持ち、いつか必ず時期がくると信じて、努力はするけれども焦らずに待つ。そういうゆったりした姿勢でいると、滞っていた物事が、本当にうまく循環していく時期が必ずくるのです。

もしあなたが、今うまくいかないことがあって、悩んでいるとしたら、そのときこそ、この本を開いて、一人でゆっくりと過去を振り返ってみましょう。

成功したとき、失敗したとき、それぞれに理由があったはずです。

自分の心を深く内観して、物事が行き詰まる原因は何だったか、冷静に考えてみてください。そして、今悩んでいる本当の理由は何か、何を学ぶことが自分の課題なのか、考えてみましょう。

そのとき、あなたのガイド・スピリットとプラグがつながり、きっと答えが見つかるはずです。

そして、いつか成功の美酒を味わうときにも、その理由を冷静に判断してください。それはあなたの努力の賜《たまもの》です。時機を待ち、正しい努力をしてきた結果です。物事の意味をきちんと読み取ることができた証《あかし》なのです。

このセオリーを押さえていれば、次に大きなチャンスがきたときも、同じ体験が生かせます。成功が成功を呼ぶ、いい循環が始まるのです。こうなれば、夢みた未来はすぐ目の前です。

やってみたいことが実現する「毎日の時間割」

夢は、ある日突然、叶うわけではありません。夢に向けて毎日を充実して過ごすこと。その積み重ねの先に、いつか気づいたら夢が叶っているのです。

そういう着実な形で実現した夢、手に入れた幸せは、なくなりません。夢に向かう努力の方法や考え方がきちんと身についていれば、たとえ一時的なトラブルがあったとしても、また立ち直って、少しずつ進んでいくことができるからです。

夢を実現させるために、毎日をどう過ごすか。そのポイントをあげてみました。難しいことではありません。少し意識して、ていねいに日々を過ごす。それだけで、あなたの未来が変わってきます。

まず、一カ月を前半、中盤、後半に分けて考えてください。この三つの時期には、それぞれ特徴があります。夢を実現するために、その特徴をうまく生かして、一カ月の中で活動の流れをつくりましょう。

【月の前半】

インスピレーションが働きやすい時期

夢に向けて、どんな目標を設定すればいいか、どういう動きをすればいいかが、クリアに見えてきます。

活発に動ける時期でもあるので、アクティブに活動すれば、大きな成果が得られます。

【月の中盤】

疲れがたまりはじめる時期

疲れを放置してしまうと、パワーがしだいに衰えていきます。入浴にたっぷり時間をかけたり、睡眠の質を高める工夫をしてください。

エステやサウナに行くのもいいでしょう。意識して体を労《いたわ》り、メンテナンスすることが必要な時期です。

【月の後半】

翌月のために、一カ月の反省をする時期

頑張ったけれど、できなかったことは何か、どうすればできるようになるか、もう一度見直してみましょう。

前半にし残したことがあれば、それを片づけたり、疲れがとれていないなら、ゆっくり休むことも大切です。

漫然と一カ月を過ごしていると、雑事にまぎれて、いつのまにか夢を忘れてしまうことになりがちです。そうならないためにも、この三つの時期の特徴を意識して、リズミカルに過ごしてください。

三つに分けたパーツの中でも、日によって特徴があります。

それぞれの日に与えられたエネルギーが、数字によって違うからです。そのエネルギーを暮らしの中に上手に取り込んでいくことも大切です。

あなたに幸運を呼ぶ
《スピリチュアル・ラッキーナンバー》

数字には、それぞれパワーが秘められています。

1～9までの数字が持っている特徴について述べていきます。参考にしてください。たとえば、日にちに合わせて活用したり、あるいは自分で何か数字を選ぶときの参考にしてもいいでしょう。

あるいは、その数字が持つ意味に合わせて、自分自身のラッキーナンバーを決めるのも効果があります。クリエイティブな仕事をしている人だったら、インスピレーションが大切ですから、何かにつけて「1」を選ぶようにしてください。それによって、あなたのインスピレーションが冴《さ》えるようになるはずです。

日にちに合わせて活用する場合、二桁《けた》の日（10日～31日）は、一の位と十の位の数字を足した数が、その日の数字になります（たとえば11日の場合、1＋1＝2なので、2と考えてください）。

1 「インスピレーション」の日

夢の実現のために、今、何をすればいいかが、パッとひらめく日です。すぐにメモをとるなどして、大切にあたためましょう。

2 「念力」の日

思いの力が強くなる日なので、目標に向かって、具体的にどんな行動を起こせばいいか、その時期、方法などを強く思い浮かべてください。

3 「実践」の日

センスが研ぎ澄まされ、頭の中が冴えわたるので、この日までに考えたことを実際の行動に移しやすくなります。

4　「中間発表」の日

今までの活動の結果が出ます。この日に出た結果は受け入れることが大切。変化の大きい日ですが、感情的にならないことがポイントです。

5　「癒し」「反省」の日

自分で自分を励ます日です。心の中を深く見つめて、起こったことの意味を理解し、反省しましょう。それが癒しにもつながります。

6　「休息」「充電」の日

友人と会ったり、おいしい食事をとるなどして、心と体をリラックスさせるのに適した日です。エネルギーを充填させてください。

7 「知恵」「情報」の日

人とのコミュニケーションによって、新たなアドバイスや情報が得られる日。素直に耳を傾けて、自分を奮い立たせましょう。

8 「運命」「理性的な反省」の日

論理的に分析して、自分のどこがよくなかったかが冷静に判断できる日です。それによって、心の深い部分に変化が起きます。

9 「未来を考える」日

なりたい自分について、思いをめぐらせるのに適しています。未来のビジョンをしっかりと思い描きましょう。

part3

迷ったとき・悩んだとき、「答え」を知る方法

《ベストな選択をするヒント》

ガイド・スピリットからの50のメッセージ
あなたに必要な「答え」がわかるスピリチュアル・カード

ここに、スピリチュアル・ワールドからの50の言葉があります。

心を静めて、1から50までの数字の中から一つ数字を思い浮かべてください。

そこにある言葉が、ガイド・スピリットから今のあなたへのメッセージです。

ガイド・スピリットは、いつもあなたを見守ってくれている存在です。あなたが悩んでいるとき、あるいは迷いの出口を見つけたいとき、謙虚な気持ちでその答えを求めれば、必ず答えてくれます。

思うような解答でないからといって、何度も試してはいけません。最初に出た数字の言葉が、あなたに一番必要な言葉です。必ず、そこには意味があります。

静かに受けとめて、そこから学んでください。

1【成功】

本当の成功とは、現世で名をなすことではありません。あなたは、「感動」するために生まれてきたのです。感動とは、感じ動くこと。どれだけ感動したかが、あなたが成功したかどうかのポイントです。たとえ結果が失敗のように見えたとしても、そのプロセスで感動を得たならば、それは成功といえるでしょう。

2【失敗、挫折《ざせつ》】

失敗した、挫折したという気持ちは、あなたの中の我欲から出てきます。それが本当に失敗や挫折であったかは、未来が結論を出すものです。どんなときでも、あなたに与えられているのは「問題」のみです。

3【憧《あこが》れ】

あなたが何かに憧れるときは、その対象にグレート・スピリット（神）を見出しています。私たちは神の子ですから、グレート・スピリットの光にのみ感動します。その感動を忘れないでください。そして、あなたが何を見出したのかをつきとめてください。「真・善・美」のいずれかの輝きが、その中にあるはずです。

4【思い出】

よい思い出にも、悪い思い出にも、ひたってはいけません。あたためなければならない思い出は、あなたがいかにグレート・スピリットからも人からも愛されたか、です。さまざまな愛があって、今のあなたがあるのです。どんな思い出も、よみがえったときは、その愛を再び確認してください。

5【羨望《せんぼう》】

人が人をうらやましく思うのは、残念ながら、目に見える表面的なことばかりです。たとえうらやましく見えても、その人の陰にどれだけの努力や苦労があるかまでは知ろうとしません。それらをも含めて、あなたがその人をうらやましいと思うならば、その気持ちは正しいといえるでしょう。

6【希望】

希望とは、グレート・スピリットの光です。そっとさしのべられた手です。あなたは子どものように、自らの手をさし出して、グレート・スピリットと手をつなぎなさい。そのときあなたの希望は叶えられます。ガーディアン・スピリット（守護霊）は、あなたを見捨てたりしないのです。

7【夢、理想】

夢や理想は、できるだけ具体的に思い描いてください。あなた自身がこうありたいと願う姿を、ありありと思い描くのです。それに疑問を感じたりしてしまうなら、あなたの心に問題があります。少しの曇りもない、はっきりとした夢や理想を持ちましょう。やがてそれは計画に変わり、計画は行動に変わり、いつか実現するのです。

8【出会い】

出会いは、自らの宿命の中から現われます。あなたがよいと思う出会いも、悪いと思う出会いも、すべては自分自身の宿命の中から生まれてくるのです。出会いをよくするのも、悪くするのも、あなたしだい。与えられた素材を、素敵に料理してください。

9【別れ】

別れにこだわってはいけません。あなたがその出会いによってどれだけ感動できたかが大切です。たとえ別れても、感動がたくさんあったなら、最高の出会いだったといえるでしょう。死別も同じです。あなたの前から旅立った人は、つねにあなたとつながっていて、またの再会を望んでいます。そして、必ず再会できるのです。

10【不安】

不安から得られるものは何もありません。不安は、失うことへの恐れから生じるものです。私たちが失ったと感じるのは、いつでも物質的なものに対してです。けれども私たちの一番の財産は、心の中、たましいの中にあります。そう考えれば、失うものなど何もありません。たましいには得ることしかないのです。

11【友人】

友人は、私たちのたましいに愛を与えてくれる大切な存在です。また、自らを磨いてくれる大切な存在でもあります。磨くということは、ときには傷つくことでもあります。小さな小さな傷が重なりあって、磨かれるという結果になるのです。磨かれることを恐れてはいけません。友人は、あなたを正しい方向へ導いてくれます。

12【恋愛】

恋愛は、愛を学ぶための勉強です。人間は、自分しか愛せない悲しい存在です。その愛を他者にも広げる最良の方法が恋愛です。恋愛を通して、自分以外の人を痛いほど愛する練習をしてください。あるいは過去の恋愛を振り返って、自分の中にある他者への愛を思い出してください。そして、いずれその恋愛が、万人への大きな愛に変わるように生きましょう。

13【先生】

あなたの目に映るすべてのものが、あなたの先生です。よい先生も、そうでない先生もいるでしょう。けれども、目に映るものはすべて自分の中にあるものです。そうなると一番の先生は自分自身です。先生から目をそらさず、多くを学びましょう。

14【人望】

人望は、いたずらに追い求めてはいけません。あなたがグレート・スピリットの言葉を口にしたとき、真の人望を得るでしょう。万人に向けた「グレート・スピリットのスピーカー」であるようにつとめてください。

15【動植物、自然】

動物や植物から学びましょう。それらはすべて、あなたに対して愛を与えてくれています。あなたが望まずとも、無条件に愛を振りまいてくれているのです。そのような存在であるように、私たちもつとめましょう。

16【音楽】

音楽は、ガーディアン・スピリットの子守歌です。自らのたましいが心地よく感じる音楽に、耳を傾けましょう。そのとき、ガーディアン・スピリットからの愛が感じられます。

17【祈り】

祈りはとても大切なものです。祈りは必ず通じます。ガーディアン・スピリットが必ず聞き入れてくれるのです。もし叶わぬ祈りがあっても、無視されているわけではありません。「叶わぬ」という形で、答えを示してくださっているのです。

18【ボランティア】

あなたがここにいること、生きていることは、すべてボランティアのおかげです。親、友だち、環境、すべてがあなたを育むボランティアです。ですからあなたも、この世のすべてに対して、率先してボランティアを行ないましょう。

19【アイディア】

アイディアに詰まったとき、焦ったり嘆いたりしてはいけません。静寂を持ちましょう。静寂に身を置くことによって、ガーディアン・スピリットから多くの知恵が授けられます。

20【インスピレーション】

インスピレーションは、ガーディアン・スピリットからあなたへのメッセージです。そのインスピレーションを正しく受け取れるかどうかは、あなた自身の器しだいです。つねに、ガーディアン・スピリットからのメッセージを受け取れるようなピュアな心を持ちましょう。

21【才能】

才能のない人は誰ひとりとしていません。私たちのたましいのふるさとには、才能の源となる叡智《えいち》があり、誰もがそことつながっています。才能がないという人は、才能を引き出せない自分に問題があります。もしくは、この才能でないと嫌だというこだわりがあるのです。自らのたましいにある輝かしい才能をよく観察してください。

22【傲慢】

人は誰も皆、傲慢です。傲慢さは影のようなもので、いつも人から離れません。ないと思っても、必ずついてまわるのです。傲慢さをなくす方法は二つ。一つは影の中に身を投じることですが、これではたましいがますます苦しくなります。もう一つは、自らが光を発する源となること。日々正しい言霊《ことたま》を使い、真理の道を生きましょう。

23【笑い】

笑いは、すばらしい音霊《おとたま》と言霊を発します。笑いがなければ人生のつらさをはね返す力を失ってしまいます。お腹から、そして心から笑えるエネルギーをつねに蓄えましょう。

24【涙】

涙はたましいが感動するときに現われるものです、どのような涙であっても、たましいがうちふるえた結果、流れ出てくるのです。その涙の意味を深く見つめ、学んでいきましょう。

25【感動】

私たちは感動するために生まれてきました。笑うことも、悲しむことも、喜ぶことも、泣くことも、すべてはたましいが感じ動くこと、感動です。感動がなければ、成長はありません。成長しなければ、生まれてきた意味がありません。

26【運・不運】

運をつくるのは自らの手です。私たちは、宿命という生涯変えられない土台を与えられています。その宿命の上に、自分の手で織りなしていくのが運です。運・不運を気にする人は、運命は自らの努力で変えられるということを忘れてしまっています。

27【偶然】

この世に偶然はありません。すべては必然です。自らのたましいのグループ・ソウル、そしてガーディアン・スピリットに導かれた結果なのです。必然を偶然として片づけてはいけません。必然である以上、深く意味があるものなのです。

28【会話】

会話には、つねに耳を傾けてください。たとえどのような会話の中にも、あなたに向けたガーディアン・スピリットからのメッセージがあるのです。自らのたましいが拒絶する会話、自分にとって都合の悪い会話には、そこに反省と学びがあります。たましいが楽しいと感じる会話には、喜びや励ましという学びがあるのです。

29【順境・逆境】

順境にあるとき、あなたはガーディアン・スピリットの激励を受けています。逆境にあるとき、ガーディアン・スピリットはあなたを目覚めさせるために、問題を投げかけています。その与えられた問題の意味を考えましょう。嘆いたり、悩んだりするのは幼い心です。ガーディアン・スピリットの温かい心を受け取りましょう。

30【家族】

家族は、たましいの学校です。そのかけがえのない学校を大切にしましょう。家族は皆、あなたにとって大切なスクールメイツです。学校で起きる出来事は、よいことも悪いこともすべて、あなたに大きな学びを与えてくれます。

31【配偶者】

配偶者は、忍耐を学ぶためのパートナーです。あなたにさまざまな忍耐を学ばせてくれるでしょう。そして、励ましも与えてくれるでしょう。配偶者と、どれだけ学びあえるかが大切です。

32【親子】

親から生まれてこない子はひとりもいません。人は皆、母のお腹から生まれてくるのです。あなたがもっとも影響を受け、もっとも愛し、そしてもっとも学ぶのが、親であり、子なのです。

33【買い物】

買い物をたくさんしたくなったら、愛の電池が切れていることに気づきましょう。失うことを恐れはじめると、人はため込みたくなるのです。買い物依存症に陥りかけたら、最近ちょっと愛が足りないのかなあと考えてみてください。

34【食事】

心と体にとってよいものを口に入れましょう。心と体によい印象を与える食べ物が、あなたにとって最良の食べ物です。過食、拒食に陥ったら、愛の電池が不足していると認識しましょう。愛に飢えたとき、人は過食になります。愛に裏切られたとき、人は拒食になるのです。

35【飲酒】

人生も、酒も、飲んでも飲まれるな――お酒を飲むときは、この言葉を必ず心にとめましょう。私たちはすぐに、人生のささいな出来事に飲まれてしまいます。楽しく酒を飲むように、人生も楽しく飲みましょう。

36【入浴】

入浴を大切にしましょう。入浴によって、たまりたまった汚いエクトプラズムを吐き出さなければいけません。日々のすべての心の疲れを落としてこそ、新たなエネルギーがわくものです。

37【睡眠】

睡眠は大切です。眠っている間、私たちのたましいがスピリチュアル・ワールドへ里帰りするからです。考えに行き詰まったときこそ、たっぷりと睡眠をとるべきです。きっとガーディアン・スピリットからよい知恵を授かるでしょう。

38【教育】

教育とは、「教え育てる」ことではありません。「教えを育む」ことです。その教えとは、私たちが生きる目的であり、愛の言葉、グレート・スピリットの言葉です。私たちのたましいを、愛の言葉でいっぱいにしましょう。

39【趣味】

才能は、趣味の中にこそ発露します。趣味に、あなたの才能を見出してください。必ず見出せます。趣味のない人などいません。ないという人は、才能を発揮する自分に疲れを感じているのです。少し休んでから、また趣味に目を向けましょう。

40【遊び】

遊びの中にも、学びがあります。学びのない遊びは不毛です。本当の遊びの中には多くのメッセージがあるのです。人とふれあい、自然とふれあって、そのメッセージを楽しんでください。

41【旅行】

私たちはたましいの旅行者です。旅先であるこの人生で、一つでも多くの感動を得ましょう。せっかくの旅なのですから、旅館にこもっていてはいけません。よいことも悪いことも、たくさん経験しましょう。すべてはやがて、学びと喜びに変わります。

42【本】

考えに行き詰まったとき、自信を失ったとき、本を開いてみましょう。たまたま開いたつもりのページの中に、ガーディアン・スピリットからのあなたへのメッセージを見出すことがよくあるのです。

43【病気】

病気は、自らの心のシグナルです。何を告げるシグナルなのか、その意味を知ることが大切です。病気が与えられるのは、あなたの肉体を苦しめるためではありません。自らのたましいが、もがき苦しんでいるのだということを、発見するためのものです。

44【喧嘩】

人と喧嘩になるのは、愛の電池が切れ、自分のたましいを理解してほしいときです。相手の愛に甘えているのです。理解されるよりも、相手を理解することを望むときは、喧嘩になどなりません。喧嘩をしたら、愛の電池が足りないのだと認識し、電池を貯めてから再会しましょう。必ず温かい包容力で受け入れられます。

45【アクシデント】

事故は、自らのたましいの波長が呼ぶものです。事故に遭ったとき、たとえそれが小さな事故でも、自分自身の心がいかにネガティブであったかを反省しましょう。事故はそれを教えてくれているのです。人生に禍いなし。すべては学びです。

46【修業】

修業という言葉は、「業《カルマ》を修める」と書きます。自らまいた種子をしっかり刈り取る、これこそ修業です。どのたましいにも、くだらないこだわりがあるものです。それらを解き放ち、成長することこそ修業なのです。

47【目標】

私たちの目標は、生き抜くことです。個人個人が追い求めた学びをなしとげ、生命をまっとうすることです。ただ生き抜くだけでも、大きな学びがあります。そこに喜びを見出してください。

48【誕生】

あなたがこの世に誕生した意味を、もう一度考えてみてください。最近あなたはそれを忘れていませんか。現世のことに、ただ押し流されてはいませんか。あなたも目的を持って生まれてきたのです。その目的を、もう一度考えてみてください。

49【カルマ】

思い、言葉、行為。私たちはこれらすべてに責任を持たなければいけません。もしもあなたが、最近、ネガティブな思いにさらされたとすれば、日頃のあなたの思い、言葉、行為がネガティブになっている証拠です。カルマの法則で、それが返ってきたのです。喜びでいっぱいのときは、あなたの思い、言葉、行為がポジティブになっている証です。

50【波長】

あなたは今、よい人たちに囲まれていますか。それともあなたを脅かす人ばかりですか。すべてはあなたの波長が呼んでいます。類は友を呼ぶ。これこそ波長の法則です。あなたの環境は、あなたの波長がつくっていることを忘れないことです。

あなた自身の本当の幸せを手に入れるために
——スピリチュアル生活のための八つの法則

夢を実現させるため、幸せになるためには、八つのルールがあります。スピリチュアルな考え方の基本となるものなので、もう一度、確認して心に刻んでください。

【スピリットの法則】

私たちは皆スピリット（たましい）の存在です。肉体だけの存在ではありません。スピリットを成長させ、スピリットを磨くために現世に生まれてきた存在なのです。

【ステージの法則】

私たちのスピリットは、偉大な愛と喜びのエネルギーであるグレート・スピリット（神）に向かって、いくつかのステージを上昇していきます。マイナスの感情に支配されていると、スピリットの成長は止まり、ステージを上げることができません。

【グループ・ソウルの法則】

スピリットは、いくつもの集団になって存在しています。その一つひとつをグループ・ソウルといいます。その中の一つが分離して、現世へと生まれ落ち、経験を積み、やがて死を迎えると、故郷のグループ・ソウルへと戻っていくのです。

【ガーディアン・エンジェルの法則】

現世での私たちの成長を見守り、サポートしてくれる守護霊がガーディアン・エンジェル（＝ガーディアン・スピリット）です。感謝の心を忘れなければ、より多くのサポートを受けられます。

【波長の法則】

心が生み出すエネルギー（波長）は、同じ波長のものを引きよせます。類は友を呼びます。自分がポジティブであれば周囲にポジティブな人やものが集まってくるのです。

【カルマの法則】

カルマとは因果律のこと。自分がとった行動は、すべて自分に返ってくるということです。よいことをすればよいことが、悪いことをすれば悪いことが返ってきます。

【運命の法則】

運命と宿命は違います。宿命とは、性別や家族など自分では変えられないもの。運命とは、宿命を受け入れて前向きに努力すれば、変えていけるものです。

【幸福の法則】

自分の幸せは自分でつくるもの。そのためには、自分を深く知ること、つらい経験も楽しい経験も、ともにたましいを磨く貴重な体験だと受け入れることが大切です。

エピローグ

本当は皆、誰もがいつもやさしくありたいはずです。そして、そうであったらどれだけ幸せなことでしょう。ところが、ときに人を恨んだり、憎んだり、怒ったり、つい意地悪をしてしまったりするのです。

人はもともと天使です。

だから天使の生き方、表現ができるはずです。

本当はいつも天使のように生きられるはずなのです。

それなのに、なぜ、やさしい気持ちでいられなくなるときがあるのでしょうか。

それは、愛の電池が足りないからです。私たちの愛は電池によく似ています。

心（たましい）に愛をいっぱい蓄えていれば、いつも愛にあふれた行動ができます。やさしくなれます。私たちを本当に生かすエネルギーは、愛なのです。

皆、誰もが愛されています。どのような苦しみに見舞われたとしても、愛されているのです。もし愛されていないと感じるとしたら、あなたに向けられている愛に気がついていないだけです。今あなたが存在するということ、それ自体がすでに愛を受けている証拠なのですから。

家族、友人、すべての人からあなたに向けられる愛が一〇〇パーセントではなく、一〇パーセントだったとしても、愛に変わりはありません。(一〇パーセントの愛を感じられない人は、一〇〇パーセントの愛を感じることができません)。

誰ひとりとして孤独な人はいません。すべての人がガーディアン・スピリットの愛に見守られているのです。

私たちは、人生の意味と目的がわからなければ、人生における表面的なことばかりで幸・不幸を判断してしまうことでしょう。

親・家族への不満、その他諸々の不満にばかり目を奪われてしまうことでしょう。そういうとき、私たちは愛を忘れています。電池が足りなくなっているのです。

「なんだか私、やさしくないな」と感じたときは、静かに内観してください。愛が不足していることを。人生の目的を見失っているということを。あなたの思い、言葉、行為、すべてがあなたのたましいと心を映し出していることを思い出してください。

あなたが本当に幸せであれば、愛にあふれた思い、言葉、行動がとれます。

いつもやさしいあなたでいてください。

そのやさしさが波長となり、またやさしさを呼びよせます。

そして愛のカルマとなってあなたに戻ってくるのです。

いつでも愛をつくる人であってください。自分の思い、言葉、行動に、愛が足りないと感じるとき、いつもこの本を見直してください。

そしてもう一度、本書の中の「質問」をよく考えて答えてみてください。その中から本当のあなたの姿が見えてきます。あなたの課題が見えてきます。

あなたのたましいの故郷であるグループ・ソウル、そしてあなたを見守ってくれるガーディアン・スピリットの姿までも、見えてくるかもしれません。それに気づいたとき、あなたのたましいに本当の幸せと愛が訪れるでしょう。

あなたのたましいが愛でいっぱいになるよう、お祈りしています。


最後にこの本に推薦文を寄せてくださった心理学者の伊東明さんに、この場を借りましてお礼申し上げます。

江原啓之

本書は、本文庫のために書き下ろされたものです。

“幸運《こううん》”と“自分《じぶん》”をつなぐ

スピリチュアル セルフ・カウンセリング

著者　江原啓之（えはら・ひろゆき）
発行者　押鐘冨士雄
発行所　株式会社三笠書房
〒112-0004 東京都文京区後楽1-4-14
電話　03-3814-1161（営業部）03-3814-1181（編集部）
振替　00130-8-22096　http://www.mikasashobo.co.jp
印刷　誠宏印刷
製本　宮田製本

 ISBN4-8379-6148-7 C0130

王様文庫